ARTHUR ADAMOV

THÉÂTRE

II

Le Sens de la Marche
Les Retrouvailles – Le Ping-Pong

précédé
D'UNE NOTE DE L'AUTEUR

de dire ici comment — à situer au centre de la pièce un appareil à sous, ou plutôt l'attraction qu'il exerce sur un certain nombre de personnes, je ne pouvais faire autrement que de placer l'action dans un temps et un milieu déterminés, ceux où un tel appareil exerce son attraction : la clientèle de Mme Duranty. En outre, la situation centrale qu'avait acquise l'appareil me força à ne montrer des personnages qu'un comportement, celui né des réactions que suscite en eux l'appareil. Arthur, Victor, Annette, Sutter, Roger, etc., se distinguent les uns des autres par le recul qu'ils prennent vis-à-vis de leur obsession, obsession toujours liée à l'appareil, au mélange de calcul et de hasard que comporte son fonctionnement, aux avantages de tous ordres qu'il peut procurer. Par conséquent, il fallait, d'un point de départ absolument réaliste, arriver logiquement à une certaine folie ; mais là encore un danger pouvait surgir : le lyrisme échevelé, ou plutôt, dans mon cas, l'élucubration schizophrénique sur l'Appareil Centre du Monde. Je suis parvenu à éviter ce danger, et à faire qu'en dépit de la folie grandissante, ou à cause d'elle, l'appareil reste un objet produit par une société précise : la nôtre, et dans un but précis : gagner argent et prestige.

Je crois avoir ainsi trouvé la distance juste entre les protagonistes du jeu et le spectateur, ceux-là appartenant au monde de celui-ci, qui peut rire de leur ridicule, grossi du fait qu'il se manifeste toujours en fonction d'une seule et même chose. De plus, les sentiments qu'éprouvent les personnages du *Ping-Pong* ne sont pas posés d'emblée comme inévitables. J'ai laissé, à Arthur et Victor en particulier, une marge sinon de liberté, du moins d'indécision : ils pouvaient peut-être éviter que l'appareil fît leur malheur. En tout cas, à partir de l'objet choisi, dans une certaine mesure, par eux — je dis : dans une certaine mesure car, en fait, c'est une société mystificatrice qui posa ce piège sur leur chemin — les deux amis vont, eux-mêmes, creuser les galeries dans lesquelles ils trébucheront. Contrairement à ce qui se passe dans mes autres pièces, de *La Parodie* aux *Retrouvailles*, la menace ne vient pas que du dehors ; les personnages secrètent

« de toute éternité », ira gigoter dans une voiture d'enfant. Il a beau, comme Taranne, évoquer des lieux précis situés, comme par hasard, à la frontière belge, Quevy n'est qu'un de ces faux détails concrets qui voudraient donner le change. La littérature contemporaine abonde en détails de ce genre. De même, l'utilisation insolite des objets (piano, machine à coudre, etc.) n'est, ici, insolite qu'en apparence. Un exemple : Edgar tombe d'une bicyclette qui n'est pas à sa taille, et, de plus, d'une bicyclette de femme, dépourvue de barre. Je n'ai rien contre cette image; mais il ne faudrait pas que la chute d'Edgar représentât son incapacité d'atteindre l'âge d'homme. Enfin et surtout, *Les Retrouvailles* étant un faux rêve, Edgar n'occupe pas la place que doit occuper le rêveur : il n'est pas au premier plan; et, parce qu'il n'est pas au premier plan, ses rapports avec autrui se trouvent faussés. La plus Heureuse des Femmes, pourtant, comme la Mathilde du *Sens de la Marche*, pourrait être un personnage authentique (qui n'a vu ces pauvres créatures, effacées par la vie, mais gardant toujours un sourire stéréotypé qui veut masquer la défaite, et inspire l'effroi) si la signification dont elle est chargée *a priori* ne la privait, pour une grande part, de sa vérité.

Les Retrouvailles ont cependant eu pour moi une grande importance car, les ayant terminées, relues, bien examinées, j'ai compris qu'il était temps d'en finir avec l'exploitation du demi-rêve et du vieux conflit familial. D'une manière plus générale, je crois avoir, grâce aux *Retrouvailles*, liquidé tout ce qui, après m'avoir permis d'écrire, finissait par m'en empêcher.

Beaucoup de choses ont changé avec *Le Ping-Pong;* et pourtant celui-ci a mal commencé. Je ne savais pas encore quel en serait le sujet, et déjà j'avais décidé qu'il se terminerait par une partie de ping-pong entre deux vieillards! C'est cette extravagante méthode de travail qui, paradoxalement, me sauva. Une fois sûr de pouvoir montrer, comme d'habitude, l'identité des destins, tranquille en somme, je me trouvais libre de faire agir des personnages, de créer des situations. De plus, ayant été peu à peu amené — il serait trop long

que comme un moyen de d
Je pouvais parfaitement imagin
temps déterminés, une bourgade
les réfugiés, en fin de compte, sont t
Juifs — ou plutôt plusieurs Juifs boitaiè
permis à ceux dont l'intérêt est de déve
racisme d'appuyer, comme du reste ils l'ont s
fait, la propagande sur une constatation hasardé
Ainsi, j'aurais démonté, d'une manière théâtrale, u
mécanisme social, réel, au lieu d'en arriver à la conclu-
sion pour le moins hâtive : « Tous les mêmes ! »

En outre, pour trois personnages réussis (Zenno, la
Mère, Marie) d'autres ne le sont guère. Jean Rist est
un raté qui se venge, mais qu'a-t-il raté, et de quoi se
venge-t-il ? Darbon, dont j'apprécie toujours les discours — il suffit d'ouvrir certains journaux pour les
retrouver — est le « monsieur » qui survit à tous les
régimes. Mais à quoi obéit-il ? Quels intérêts sert-il ?
Tout cela est ici à peine esquissé. Quant aux victimes
innocentes (Noémi, le Jeune Homme, la Jeune
Femme), elles n'ont d'autre but que de calmer un
scrupule : il y en a tout de même plus de « bons » de
ce côté-ci que de l'autre. Les Gardes, en revanche,
sont parfaits ; j'ai montré ceux que je connaissais, leur
dialectique est prise sur le vif.

Déjà, en écrivant *Tous contre Tous*, je souffrais de
la limitation que m'imposaient le vague des lieux, la
schématisation des personnages, le symbolisme des
situations, mais je ne me sentais pas la force de
reprendre un conflit social, et de le voir, en tant que
tel, dégagé du monde des archétypes. Encouragé par
Le Professeur Taranne, il me sembla plus facile de donner
aux choses leur nom et leur réalité quotidienne si je
les situais de nouveau dans un rêve ; seulement le rêve,
je ne l'avais pas. Qu'à cela ne tienne, je l'inventai, et
ce furent *Les Retrouvailles*. L'ennui est que si l'on
invente un rêve, on part d'une idée ; et si l'image, au
lieu de se situer à un carrefour de sens, prend un sens
déterminé, elle perd son efficacité. Il est trop évident,
dès le début, que Louise est la personnification du
remords d'Edgar, et la plus Heureuse des Femmes un
substitut de la Mère ; trop évident aussi qu'Edgar,

ne m'a satisfait et me satisfait
ue je n'ai utilisé aucun des élé-
à des fins allégoriques : le commis-
e cahier dont les pages du milieu sont
es, le plan de la salle à manger du navire,
uu Recteur, apparaissent dans la pièce sans
gnification que celle reconnue immédiatement
Taranne, c'est-à-dire par le rêveur. C'est aussi,
moins en partie, parce que je n'ai pas cherché à
orienter les discours de Taranne : je l'ai laissé parler
comme je parlais probablement moi-même en rêve.
Il me faut bien croire, en effet, que l'on parle dans les
rêves si je songe à la manière, très inhabituelle pour
moi, dont s'écrivit la pièce : *La Parodie* et *L'Invasion*
m'avaient demandé cinq ans de travail, *Le Professeur
Taranne* m'en demanda deux jours.

Enfin, cette pièce me rendit un service dont je ne
mesurai que plus tard l'extrême importance. Trans-
crivant fidèlement un rêve, je fus forcé de n'en négliger
aucun détail; ayant, par exemple, reçu dans le rêve
une lettre qui venait de Belgique et portait sur son
timbre le « lion royal », je nommai dans la pièce la
Belgique et son lion. Cela n'a l'air de rien, mais c'était
tout de même la première fois que je sortais du *no
man's land* pseudo-poétique et osais appeler les choses
par leur nom. A partir de là une nouvelle voie m'était
ouverte, mais je n'eus pas immédiatement le courage
de m'y engager; il me fallut faire encore, pour comprendre, deux essais bâtards, *Tous contre Tous* et *Les
Retrouvailles*.

Avec *Tous contre Tous* je suis retombé, partiellement
du moins, dans l'erreur de *La Grande et la Petite
Manœuvre* : montrer la Persécution au lieu d'une persécution. Voulant prouver que la Persécution était gro-
tesque et abjecte, j'imaginai qu'elle prenait pour prétexte une infirmité des persécutés (les réfugiés sont
boiteux) alors qu'en vérité on trouve des infirmes dans
les deux camps. Si je choisis la « boiterie », c'est
qu'elle me permettait une représentation littérale du
drame : comme toujours, je voulais rendre visibles les
motifs cachés, ce dont j'avais parfaitement le droit,
mais à condition que cette représentation ne fût prise

(le meurtre par Henri du masseur Berne, le faux père).
Mais la répétition n'est théâtrale que si les phénomènes
qui se répètent tirent leur importance de cette répétition même. Or, dans *Le Sens de la Marche*, j'ai voulu
fonder le drame sur les réapparitions d'une figure
posée d'emblée comme terrifiante, celle du Père. Rien
n'eût pourtant été perdu si cette volonté avait corres-
pondu à une obsession réelle, profonde, pour moi, si, à
travers la figure du père et ses diverses métamor-
phoses, j'avais pu reconnaître un père, mon père, et
m'effrayer en le reconnaissant. Mais le Commandant
et le Prédicateur sont encore des constructions de
l'esprit; et c'est pourquoi Henri, ne pouvait être réellement terrorisé ni par conséquent réellement exister;
pas plus, du reste que Lucile, l'Adjoint, etc., nul
d'entre eux ne ressentant l'épouvante de l'autorité
paternelle. Seule Mathilde, la pauvre fille dont les
bas tombent, transportée dans une pièce où l'on
pourrait croire à des personnages en serait un.

Quelques mots encore sur *Le Sens de la Marche*. Je
disais que la pièce n'était qu'un résidu de *La Grande
et la Petite Manœuvre*. Un exemple : certes, ce ne sont
pas ici les révolutionnaires qui font échouer la révolution, mais l'autorité ancienne, celle des Pères. L'idée
pouvait se défendre; encore fallait-il que l'on crût à
cette révolution avortée, et ce ne sont pas les appari-
tions de Georges et d'Albert qui la rendent convain-
cante.

Le Sens de la Marche me plaisait si peu qu'en train
de l'écrire, je l'ai abandonné un moment pour *Le
Professeur Taranne*. *Le Professeur Taranne* fut pour moi
un événement, car, pour la première fois, je transcri-
vais simplement un rêve sans chercher à lui conférer
un sens général, sans vouloir rien prouver, sans vouloir
ajouter à la disculpation vraisemblablement contenue
dans le rêve lui-même, une disculpation intellectuelle.
Tout ce qui arrive dans la pièce au professeur m'arri-
vait dans le rêve, à cette différence près qu'au lieu de
m'écrier, pour prouver mon « honorabilité » : « Je suis
le professeur Taranne », je m'écriais : « Je suis l'auteur
de *La Parodie!* » Le résultat n'était du reste pas plus
brillant.

ARTHUR ADAMOV

THÉÂTRE

II

Le Sens de la Marche
Les Retrouvailles – Le Ping-Pong

précédé
D'UNE NOTE DE L'AUTEUR

GALLIMARD
5, rue Sébastien-Bottin, Paris VII⁰

leur propre poison, préparent leur propre malheur ; et ce malheur, n'ayant pas exactement les mêmes causes pour chacun, n'a pas du tout les mêmes résultats.

Et la diversité des destins permet la diversité des situations : dans *Le Ping-Pong*, comme dans *Le Sens de la Marche*, tout se répète, à cette différence près que la répétition, ici, n'est ni fatidique ni fastidieuse, car toujours l'angle de vue diffère.

Si fier que je sois d'avoir écrit *Le Ping-Pong*, je vois bien ses insuffisances. D'abord, le dernier tableau, conçu avant la pièce, n'a pu profiter des acquisitions faites au cours du travail. Néanmoins, même dans ce tableau, je remarque que Victor et Arthur n'ont pas tout à fait le même sort : Victor gagne de l'argent — pas beaucoup, mais il en gagne — et Arthur n'en gagne pour ainsi dire pas — l'École Universelle ! Enfin, Victor meurt et Arthur — l'inventeur, le poète ! — survit. Le second défaut réside dans la partie « consortium » ; le Vieux, malgré ses beaux discours, et bien que j'aie essayé de lui prêter des mobiles divers, reste d'un seul bloc, incomplètement dégagé de l'allégorie. Enfin, les événements sociaux qui, au cours des années, modifient l'organisation interne du consortium, ne sont pas vraiment indiqués ; de sorte qu'on ne sent pas assez l'état de la société, d'une part, l'écoulement du temps, d'autre part. Si déjà j'entrais dans la « machine à sous », et il me fallait y entrer, je devais essayer d'examiner les rouages de la grande machine sociale aussi assidûment, aussi minutieusement que j'examinais bumpers et flippers. Cet examen, j'essaye aujourd'hui de le faire dans une nouvelle pièce, plus située encore en un temps et un milieu que *Le Ping-Pong*.

LE SENS DE LA MARCHE

A Jean Duvignaud.

DISTRIBUTION

HENRI	Roger Planchon.
Le Père.	
Le Commandant.	Henri Galiardin.
Le Prédicateur.	
Le Directeur d'école	
BERNE	Jean Bouise.
L'Adjoint.	Claude Lochy.
Le Premier Aspirant	
Le Premier Adepte.	Julien Mallier.
Le Premier Élève.	
Le Deuxième Aspirant	
Le Deuxième Adepte.	Jacques Giraud.
Le Deuxième Élève.	
Le Troisième Aspirant	
Le Troisième Adepte	Georges Barrier.
Le Troisième Élève.	
GEORGES	Henry-Serge Dumesne.
ALBERT.	Louis Cirefice.
MATHILDE.	Isabelle Sadoyan.
LUCILE	Élise Meunier.

Le Sens de la marche *a été représenté pour la première fois au Théâtre de la Comédie, à Lyon, le 18 mars 1953. Mise en scène de Roger Planchon.*

PROLOGUE

LA MAISON DU PÈRE

A gauche, un lit, une table de nuit.

Sur le lit, le Père, à moitié couché, vêtu d'un peignoir de bain blanc.

Assis près du Père, les jambes écartées, les mains posées sur les genoux, un vieillard : Berne. Il a une serviette éponge sur l'épaule et lit le journal. Debout, derrière Berne, l'Adjoint, petit, enfantin.

A droite, une table. Mathilde, accroupie, passe un torchon sous la table. C'est une pauvre fille sans âge. Vêtements usés.

A l'avant-scène, Henri, nerveux. Il fait quelques pas, s'arrête, se retourne.

LE PÈRE, *geignant*. — Il y a du nouveau ?

BERNE. — Guère. *(Pause.)* Des demi-mesures ! Toujours la même chose.

LE PÈRE, *geignant*. — Ah, oui, toujours la même chose...

BERNE. — Les mécontents en prison ! C'est comme ça qu'on assure l'ordre.

LE PÈRE, *soulevant la tête*. — Non, ce n'est pas comme ça ! Ce qu'il faut, c'est étouffer le mal dans le germe, c'est ne pas permettre...

BERNE, *conciliant*. — Bien sûr...

LE PÈRE. — Ils n'ont qu'à faire comme moi, tous

comme moi! Est-ce qu'il y a du remue-ménage dans ma maison? Est-ce qu'il y a des mécontents?

BERNE. – J'espère que non.

LE PÈRE. – Tu ne dis rien, Henri.

Henri s'arrête.

BERNE. – Assieds-toi, Henri, tu fatigues ton père.

Henri se remet à marcher.

L'ADJOINT, *riant.* – Il est nerveux. Ça se comprend, avec les soucis qu'il a!

HENRI, *s'arrêtant.* – Quels soucis?

Entrent, à droite, Georges et Albert, jeunes gens robustes, en imperméable. Ils restent à la porte. Les deux vieillards tournent la tête vers eux et ne bougent pas.

GEORGES. – Nous venons te chercher.

HENRI. – Me chercher?

GEORGES. – Eh bien, quoi, ça t'étonne?

HENRI. – Je m'attendais si peu...

ALBERT. – Si on t'avait vu, ces derniers jours, on t'aurait dit...

GEORGES. – Comment se fait-il qu'on ne t'ait pas vu ces derniers jours?

HENRI. – Je ne peux pas m'en aller! Pas maintenant.

Le Père a un léger mouvement.

GEORGES, *s'approchant d'Henri, bas.* – Rappelle-toi, il était convenu que nous serions tous prêts, à chaque instant.

HENRI, *bas.* – Oui, c'était convenu. *(Fort, criant presque.)* Mais je ne pouvais pas savoir.

Il marche.

L'ADJOINT. – Qu'est-ce que tu ne pouvais pas savoir?

GEORGES. – Le train part dans une heure, il faut faire vite.

Le Père se soulève sur un coude, Berne le soutient. L'Adjoint sautille.

HENRI. – Je ne comprends pas...

ALBERT. – Nous t'expliquerons en route.

GEORGES. – Tu viens ?

Le Père geint.

HENRI, *s'approchant d'Albert.* – Je vous rejoindrai plus tard... dans quelques jours. *(Bas.)* Je vous le promets.

GEORGES. – Nous devons partir ensemble, tu sais bien.

ALBERT. – Oui, nous sommes arrivés à l'improviste, mais, pour nous non plus, ce n'était pas facile...

GEORGES. – Tu es prêt ?

HENRI. – Vous me donnerez bien le temps de préparer mes affaires ?

Il marche, le Père geint, il s'arrête.

BERNE. – Tu veux nous quitter, mon petit ?

LE PÈRE. – Henri !

HENRI, *à Georges et Albert, très vite.* – Attendez-moi, dehors. Quand je serai prêt, j'ouvrirai la fenêtre et je crierai.

GEORGES. – Bien, mais dépêche-toi, nous ne pouvons pas attendre plus de dix minutes.

Georges et Albert sortent. Henri s'approche du Père qui ne bouge pas.

LE PÈRE. – Tu ne fais plus rien, Mathilde. On nous a dérangés, mais c'est fini, nous voilà tranquilles. Tu peux balayer, nettoyer encore un peu. *(Il geint.)* Ce désordre, c'est ce désordre qui me tue.

Mathilde s'approche peureusement.

BERNE, *montrant le parquet, sous la table de nuit.* – Par ici, fillette ! Regarde, c'est plein de poussière, là-dessous.

Mathilde s'accroupit et nettoie.

LE PÈRE, *geignant.* – J'ai mal...

BERNE. – Toujours vos jambes ?

LE PÈRE. – Oui, elles sont lourdes.

BERNE. – Je vais vous masser, n'est-ce pas ?

Le Père se met à plat ventre. Berne le masse.

L'Adjoint. – Je prépare les compresses? *(Boudeur.)* Alors, je ne sers plus à rien?

Henri. – Je pensais que tu voulais me parler.

Berne. – Tu pourrais attendre que ton père se sente mieux.

Henri *(il se met à marcher)*. – J'ai déjà trop attendu; c'est cela que je paie maintenant.

Berne. – On t'a fait de la peine?

Henri, *criant*. – Vous m'avez relégué dans un coin, tous. Mais je n'y resterai pas.

Le Père, *d'une voix faible*. – Mon petit Henri, où es-tu?

Henri. – Je suis là.

> *Il s'approche.*

Le Père. – Prends ma main, serre-la. *(Pause.)* Plus fort. Tu ne peux pas?

Henri. – Si.

Le Père. – Ça fait du bien.

Berne, *à Mathilde*. – Debout, fillette! On ne veut pas tenir la main de son père?

Mathilde *(elle se lève et balbutie)*. – Je ne savais pas...

> *Mathilde prend la main du Père. Berne masse le Père.*

Le Père. – Non, celle-là! La même! Là, oui, encore là! *(Pause.)* Ça va mieux.

Berne. – J'étais sûr que ça vous soulagerait.

> *Henri veut retirer sa main. Le Père l'en empêche.*

Le Père. – Rien à faire, Henri. Tu vas m'écouter. J'ai obtenu pour toi le poste que je voulais. Ça a été dur, mais je t'ai imposé. Tu entres en fonctions demain matin. Tout le monde t'attend.

Henri. – Tu sais bien que ce n'est pas possible.

Le Père, *d'une voix faible*. – Qu'est-ce que tu dis? Qu'est-ce qui n'est pas possible?...

Henri. – Que je devienne professeur. Je t'ai dit pourquoi.

Le Père, *geignant*. – Mais puisque c'est moi qui ai sollicité ce poste, pour toi!

Berne. – Un père pour son fils !

Henri. – Je ne le prendrai pas. Du reste, je dois partir. *(Le Père geint.)* Pas pour longtemps... Quelques jours...

Le Père, *se dressant sur son lit.* – Tu ne partiras pas. Ta mère est morte ici en te mettant au monde, tu resteras ici. *(D'une voix sûre et égale.)* Tu ne vas pas t'en aller, Henri. Dis : je ne vais pas m'en aller.

Henri, *avec effort, d'une voix changée.* – Je ne vais pas m'en aller.

Le Père. – Tu vois, je suis là sur ce lit, les muscles tressaillent à peine quand je parle, je ne bouge pas. Eh bien, toi non plus tu ne bougeras pas. Tu feras comme moi. Dis : je ferai comme toi.

Henri. – Je ferai comme toi.

Berne. – Te voilà enfin raisonnable.

L'Adjoint. – Tu as bien fait, Henri.

Henri, *criant.* – Vous vous trompez. Je n'irai pas déclamer derrière une table : « Messieurs, ce que j'ai à vous dire... » Les choses que j'ai à dire, je les dirai, mais autrement, ailleurs.

Le Père, *d'une voix assoupie.* – Où ça ?

Berne. – Il ne le sait pas lui-même. C'est à ses amis qu'il faut le demander.

Henri. – Vous ne m'empêcherez pas de les rejoindre.

L'Adjoint, *enfantin.* – Tu m'emmènes ?

Pause.

Berne. – J'avoue, Henri, que je ne te comprends pas bien.

Henri. – Vous comprendrez bientôt, tout le monde comprendra...

Berne. – Explique-nous ça.

Henri. – J'ai autre chose à faire.

Berne. – Tu n'as pas l'air bien joyeux de partir ?

L'Adjoint. – Ça t'ennuie de quitter Lucile, hein ?

Le Père. – J'entends bien ?... On ose parler de cette éhontée devant moi, chez moi ! *(Criant.)* Ton père est encore là, Henri, toujours là ! en pleine forme !

Berne, *levant les bras.* – Grâce au ciel !

Le Père s'affaisse, Berne arrange les oreillers.

LE PÈRE. — Prends garde, Henri, jusqu'à présent, je ne t'ai pas fait peur, mais rien ne m'empêche...

BERNE. — Si j'étais le père de Lucile, les choses n'en seraient pas là. *(Riant.)* Je sais me faire obéir, moi. Pas vrai, fillette ?

LE PÈRE *(il chuchote).* — Ah, c'est Lucile qui te retient ? Seulement Lucile... Je comprends...

HENRI, *très bas.* — Non, pas seulement Lucile.

LE PÈRE. — Berne, je veux mon bain. Faites couler l'eau... tout de suite !

BERNE, *à l'Adjoint.* — Vas-y, mon petit !

LE PÈRE. — Non, pas lui, vous ! Il ne pourra pas... Il faut le régler... *(Criant.)* Qu'attendez-vous ?

L'ADJOINT. — Je viens aussi ? On peut ?

BERNE. — Bien sûr, mon petit.

> *Berne sort à gauche, suivi de l'Adjoint.*

LE PÈRE, *geignant.* — Pas comme hier ! pas si tiède ! Ils ont fermé la porte, ils ne m'entendent pas. Vite, Mathilde, cours leur dire... *(Mathilde sort à gauche.)* Henri, tu vas m'attendre, n'est-ce pas, n'est-ce pas ?...

BERNE, *reparaissant à gauche.* — Le bain est prêt.

LE PÈRE. — Déjà !

> *Le Père se lève avec l'aide de Berne et sort à gauche appuyé sur son épaule. L'Adjoint les suit en sautillant.*

L'ADJOINT, *à peine sorti, il reparaît.* — Alors, ça s'est arrangé ?

> *Il sort.*

HENRI. — Je n'attendrai pas.

> *Il met son manteau et marche.*

MATHILDE, *s'approchant.* — Si tu savais ce qu'il a fait... dans la salle de bains ! *(Pause.)* Dis, tu ne vas pas abandonner papa, malade comme il est ! Un coup pareil ! Il ne s'en relèverait pas.

HENRI. — Chantage !

> *Il marche.*

MATHILDE. — Regarde, je fais ce qu'ils veulent, moi, je leur obéis...

Henri *(il s'arrête)*. – Si ça t'amuse de balayer sous les pieds de Berne, tu es libre.

Il marche.

Mathilde *(elle marche derrière Henri)*. – Mais si tu t'en vas, qu'est-ce que je leur dirai? *(Bas, avec peur.)* Berne fera tout retomber sur moi.

Henri *(il marche)*. – Sois tranquille. Il sera trop content de ne plus me voir ici. *(S'arrêtant.)* Rien que pour lui enlever ce plaisir, j'accepterais bien ce poste si...

Mathilde. – Parle-moi, j'aime tant quand tu me parles.

Henri, *s'arrêtant*. – Pourquoi sont-ils venus aujourd'hui, justement aujourd'hui? Ils avaient tout le temps. C'est trop injuste... Je veux te dire quelque chose, Mathilde.

Mathilde. – Non, ne me dis rien. Je ne peux pas te permettre... Tout à l'heure, il va venir, il va me questionner. *(Imitant la voix de Berne.)* « Alors, on est resté avec son grand frère, en tête à tête, un bon moment. Qu'est-ce qu'on s'est raconté? Parle, fillette. Tu sais bien qu'on ne peut rien cacher à son vieil ami ».

Henri. – Comme tu voudras.

Mathilde. – Tu es fâché? Henri, il ne faut pas. *(Pause.)* C'est grave?

Henri. – Très grave. Je voulais te dire où je pars, pourquoi je pars, et pourquoi c'est si difficile...

Mathilde. – Je ne le répéterai pas. Je te jure... Ta petite Mathilde te le jure.

Voix de Georges et d'Albert. – Henri! Henri!

Mathilde *(elle frissonne)*. – Tu veux bien que je ferme la fenêtre, il fait si froid...

Elle ferme la fenêtre.

Voix de Georges et d'Albert, *lointaines, assourdies*. – Henri!

Henri. – Tu sais que j'aime Lucile.

Mathilde. – Et elle, tu crois qu'elle t'aime? Elle est si belle, Lucile!

Henri. – Trop belle pour moi! Je l'ai longtemps cru. Et pourtant, elle m'aime, elle m'en a donné la preuve.

MATHILDE. — Raconte !

HENRI. — Tu connais Lucile. Oh, à peine ! Mais tu l'as entendue parler de son père. Tu sais comme elle a peur de lui ! Il ne la quitte jamais. Il s'accroche à elle, il ne peut pas faire un pas sans elle.

MATHILDE. — Elle en a de la chance !

HENRI. — Eh bien, cette chance, elle y renonce. Hier, j'ai enfin pu la voir seule, je lui ai demandé de partir avec moi, loin de lui, elle a accepté.

MATHILDE, *avec effroi.* — Tu veux partir ? Tu es sûr ? *(Pause.)* Ah, ils venaient de sa part ! C'est vrai, elle connaît bien Georges.

HENRI, *criant presque.* — Il y a longtemps qu'elle ne le voit plus. *(Pause.)* Ils sont venus me chercher pour tout autre chose... Non, pas pour tout autre chose... pour me faire du mal, pour m'empêcher...

MATHILDE *(elle pleurniche).* — Je ne comprends pas, Henri...

HENRI. — C'est pourtant simple. Je me suis engagé, il y a un an, à travailler avec eux, à lutter à leurs côtés contre la force, l'injustice, l'oppression. Rien n'a changé, tout ça me fait horreur. Comme à eux ! autant qu'à eux ! Mais je pensais que, d'abord... Peu importe. Je vais les rejoindre. On sera séparés, longtemps, très longtemps, elle aura peur pour moi, mais elle sera fière, elle sera heureuse ! *(Pause.)* De toutes façons, c'était pressé. Nous risquions d'être emmenés à l'armée, bêtement, pour le service supplémentaire. La loi a passé. Cinq ans ! *(Il marche, puis s'arrête.)* Non, je ne peux pas... Si je pars, ils en profiteront. Je vois déjà notre père chez le sien, ils chuchotent, ils rient, ils se mettent d'accord... Les vieillards se frappent sur l'épaule. Et elle, elle les écoute, sans un mot, tout près. Elle est devant eux comme toi devant Berne. *(Criant.)* Non, pas comme toi !

MATHILDE, *avec un petit rire étouffé.* — Bien sûr, pas comme moi.

HENRI. — Non, je ne peux pas... Je ne peux pas l'abandonner... Je n'en ai pas le droit...

MATHILDE. — Henri, tu ne vas pas t'en aller, pas maintenant, en tout cas. *(Désignant la porte à gauche.)* Tu sais bien que c'est toi qu'il aime ! Son fils ! Moi, je ne compte pas... je fais le ménage, c'est tout. *(Pause.)* Il n'y a que Berne qui tient à me garder. Je me demande pourquoi... puisqu'il me fait tant de méchancetés.

Henri, *à mi-voix.* – Le plus vite possible. *(Il va à la fenêtre, l'ouvre et crie :)* Je viens! *(Pause.)* Ils ne sont pas là. Ils ont eu peur de manquer le train. Pourtant, je n'ai pas pris plus de dix minutes. Il n'y a pas plus de dix minutes, n'est-ce pas?...

Mathilde. – Je ne me rends pas compte...

Henri. – Comment les rejoindre? Je ne sais même pas où ils sont partis. Ils auraient pu me le dire...

Il marche.

Mathilde. – C'est vrai.

Henri *(il s'arrête).* – C'est de ma faute! Parce que je ne voulais pas partir! *(Bas)* Si, au moins, j'étais sûr que c'est à cause d'elle, seulement à cause d'elle. Mais, c'est peut-être aussi... *(Fort.)* De toutes façons, je ne resterai pas... Si ce n'est pas aujourd'hui, alors, demain... Seulement, voudra-t-elle encore? Elle saura que je n'ai pas tenu parole, Georges s'arrangera bien pour le lui faire savoir. Non, je lui expliquerai... *(Pause.)* Si je reste, je serai comme toi. *(Criant presque.)* Je ne veux pas être comme toi, je ne veux pas te ressembler, Mathilde, tu comprends?

Mathilde, *très bas.* – Je comprends...

> *Entre, à gauche, le Père, appuyé sur Berne. L'Adjoint sautille derrière eux. Mathilde se remet à nettoyer. Henri ne bouge pas.*

Le Père, *repoussant Berne, avec entrain.* – A la bonne heure!

PREMIER ACTE

LA CASERNE

Au fond, assis trop près les uns des autres, les trois aspirants. Ils cousent, leurs coudes se heurtent, dispute muette.
Au milieu de la scène, quelques chaises en désordre.
Henri marche nerveusement de long en large. Les aspirants rient et montrent du doigt Henri.

TROISIÈME ASPIRANT, *se tournant vers le second.* – Elle ne viendra plus, sa petite amie!

SECOND ASPIRANT, *à Henri.* – Tu en as de la chance d'avoir une petite amie qui vient te voir. Et le premier jour des visites encore!

HENRI. – De la chance! Parfaitement, j'ai de la chance! Quand je pense que j'aurais pu être ici, dans cet enfer, seul, depuis une année, et sans force pour en sortir, aussi faible qu'avant!

> *Il va à la porte de droite et regarde dans les coulisses.*

PREMIER ASPIRANT. – Tu trouves qu'on est mal ici?

> *Rire des deux autres aspirants.*

HENRI, *se retournant.* – Vous n'en avez donc pas assez, des dénonciations, des menaces et de ce vieillard malade dont le sang monte au visage à chaque ordre qu'il donne?

Deux coups de sifflet. Les aspirants laissent sur leurs chaises les vêtements qu'ils étaient en train de coudre et se précipitent à droite. Henri reste seul un moment, on entend du bruit, il va à droite, écoute. Entre Mathilde, pitoyable, en vêtements de deuil.

MATHILDE, *allant vers Henri.* — Henri, je suis heureuse... Ça va faire presque un an.

Elle veut embrasser Henri, il se dégage.

HENRI. — Oui, demain, ça fera juste un an.

Léger bruit, il va à la porte, s'arrête, écoute.

MATHILDE. — Je reviens du cimetière... J'ai eu de la peine à trouver l'allée. Il n'y avait pas de fleurs sur la tombe... *(Pause. Henri n'a pas bougé.)* Tu ne m'attendais pas? Je te dérange, sans doute? ...Mais quand j'ai lu, dans le journal, qu'on pouvait venir, que maintenant c'était permis... Tu comprends?

HENRI. — Je comprends.

MATHILDE. — Bientôt, on ne pourra plus la distinguer des autres. Il faudrait l'entretenir... Mais cela demande de l'argent, beaucoup d'argent.

HENRI *(il marche).* — Tu voudrais que je t'en donne sur... ma paye?

MATHILDE. — Je ne t'ai rien demandé, Henri. Je sais bien que tu ne peux rien faire puisque Berne a pris l'argent. Il avait la loi pour lui, Berne.

HENRI. — De toutes façons, je n'aurais pas accepté...

MATHILDE. — Je n'ose plus lui parler de ça. Je sais d'avance ce qu'il va dire. *(Imitant la voix de Berne.)* « Quand on aime son père, fillette, et qu'on veut faire quelque chose pour lui, alors, on le fait, quitte à se sacrifier, à travailler. » *(Elle pleure.)* Je travaille... oui, à l'usine... Toujours debout... Ce ne serait pas si terrible, mais il y a mes jambes, elles enflent de plus en plus... Bientôt, je serai comme papa. Regarde.

Elle montre ses jambes à Henri. Ses bas tombent.

HENRI *(il marche).* — Tu voudrais que je m'occupe de toi, que je te recommande à des gens! Comme si on me laissait faire ce que je veux ! Mais ce cauchemar va finir, Mathilde. *(Il s'arrête.)* Demain...

MATHILDE. – Je sais, je suis coupable. Quand papa est mort, j'étais dans la chambre voisine. Berne prétend qu'il m'a appelée dans la nuit. Je ne crois pas, je n'ai rien entendu... Mais, de toutes façons, j'aurais dû savoir. *(Elle s'assied sur la chaise, au milieu de la scène.)* Juste un moment !...

HENRI. – Cette même nuit, j'ai compris que Lucile ne partirait pas avec moi, qu'elle n'oserait pas... *(Il marche.)* Dis, l'as-tu vue, ces derniers jours ? *(Bas.)* Elle a réussi à me faire parvenir une lettre... Elle m'a juré de venir aujourd'hui *(avec désespoir)* et elle n'est pas là.

Pause.

MATHILDE. – Non, je ne l'ai pas vue, mais ça ne veut rien dire, je sors si peu..., et puis à eux, il ne peut rien leur arriver. *(Apeurée.)* Tu sais, Berne..., le soir, il amène chez nous des hommes que je ne connais pas ; ils s'assoient en cercle et puis, une fois assis, ils m'obligent à faire des révérences... même quand je n'ai pas le cœur à ça.

HENRI. – C'est de ta faute. Pourquoi te laisses-tu faire ? Moi, je n'ai pas eu le choix, il a bien fallu que je la supporte tous les jours, la présence de son petit Adjoint. *(Riant.)* Il est l'ordonnance du Commandant !

MATHILDE, *absente*. – Ils s'assoient toujours à la même place. Ils disent : « Fatiguée aujourd'hui ? » Et lui *(imitant la voix de Berne)* : « Oui, elle est un peu fatiguée, mais elle va faire tout de même son numéro. Fillette, un petit effort pour moi, pour le vieil ami de ton papa ! »

Coup de sifflet.

HENRI. – Pourquoi me racontes-tu tout ça ? Qu'est-ce que j'y peux ?

MATHILDE, *se levant*. – Pardonne-moi.

HENRI. – C'est la fin des visites. Il faut que tu t'en ailles.

MATHILDE. – Oui, je m'en vais... tout de suite... Mais, quand te reverrai-je ?... Dis-moi ?...

HENRI. – Je n'en sais rien. Je t'ai dit de t'en aller. Tu n'entends donc pas quand on te parle?

MATHILDE. – Je m'en vais... (*Elle veut embrasser Henri, fait un pas, puis recule.*) Au revoir, Henri! (*Agitant la main.*) A bientôt, à bientôt!

> *A la porte de droite, avant de sortir, Mathilde croise les aspirants qui se retournent sur elle et rient. Mais on entend de nouveau un coup de sifflet. Les aspirants regagnent très vite leurs chaises, ils ont peur d'être surpris, et se remettent à coudre.*

SECOND ASPIRANT, *enhardi, au premier.* – Tu sais, le déserteur, il va rester avec nous jusqu'au jugement.

PREMIER ASPIRANT. – J'aime mieux être à ma place qu'à la sienne.

TROISIÈME ASPIRANT, *à Henri.* – On est déçus, elle est moche, ton amie!

> *Les aspirants rient.*

HENRI. – Mon amie! C'est ma sœur, un pauvre être!

> *Entrent à gauche le Commandant, vieillard à moustache, et l'Adjoint. Les aspirants se lèvent.*

LE COMMANDANT. – Bien sûr, bien sûr... on arrangera ça.

L'ADJOINT. – Il a eu de la chance de tomber sur vous...

> *Le Commandant inspecte la scène. L'Adjoint reste à côté de lui.*

LE COMMANDANT. – Qu'est-ce que ça veut dire? Qu'est-ce que je vois? Un désordre pareil! On s'est battu peut-être? (*Riant.*) On s'est entraîné pour se faire les muscles, pour devenir plus forts! (*Les aspirants font non de la tête.*) Imbéciles! (*Pause.*) Donc, on ne s'est pas battu, on n'a pas cette excuse. Simplement, on ne fait plus d'ordre, on a... d'autres choses à faire, des choses que je ne connais pas, qu'on ne me dit pas...

> *Les aspirants montrent Henri du doigt. Henri ne remarque rien.*

LE COMMANDANT. — Apprenez qu'il est inutile et dangereux de me cacher quoi que ce soit. Une faute vient d'être commise. Je veux qu'on me montre le fautif! Qu'on le pousse devant moi sur-le-champ!...

SECOND ASPIRANT (*il montre Henri et chuchote*). — C'est lui! C'était à lui de faire l'ordre!

LE COMMANDANT, *qui n'a rien entendu*. — Ou je punis tout le monde! Ce sera deux ans!

> *Les aspirants poussent Henri.*

HENRI. — C'était mon tour...

LE COMMANDANT, *ennuyé*. — Ah, c'était ton tour?

> *Il se tourne vers l'Adjoint.*

L'ADJOINT. — Il se trompe, Commandant. Ce n'était pas à lui, c'était au nouveau... Rappelez-vous. Vous aviez décidé de lui donner toutes les corvées.

LE COMMANDANT, *sentencieux*. — Très juste!

L'ADJOINT. — Je vais le chercher, Commandant?

> *Le Commandant fait oui de la tête, l'Adjoint sort à droite.*

HENRI. — Excusez-moi, mais je suis sûr que ce n'était pas à lui, puisque...

> *Le Commandant hausse les épaules. Les aspirants se frappent le front en désignant Henri.*
>
> *L'Adjoint reparaît à droite, poussant brutalement devant lui Albert, défait, les vêtements fripés. Albert tombe sur les genoux.*

LE COMMANDANT, *se postant devant Albert qui se relève avec effort*. — Alors, on refuse de travailler, on désobéit encore? Après ce qu'on a fait?

> *Henri et Albert se regardent. Henri fait un pas vers Albert.*

L'ADJOINT, *à Albert, montrant Henri*. — Pour un peu, tu laissais punir Henri à ta place!

LE COMMANDANT, *à Albert*. — On déserte lâchement, pour ensuite... ensuite...

> *Il bafouille et chancelle.*

L'Adjoint, *soutenant le Commandant.* – Ça ne va pas, Commandant ?

Le Commandant. – Ce n'est rien... rien du tout... Il suffira que je respire un peu... C'est... cette poussière ! *(Criant.)* On veut m'enterrer dans la poussière, en finir avec le Commandant, mais il est toujours là, le Commandant. *(Repoussant l'Adjoint.)* Toujours sur ses jambes !

> *Il chancelle, l'Adjoint le soutient.*

L'Adjoint, *à Albert.* – Toi, tu restes là. On verra ça tout à l'heure.

> *Le Commandant et l'Adjoint sortent, le Commandant s'appuyant sur l'Adjoint.*

Second Aspirant. – On fait un tour ?

Troisième Aspirant. – Tu crois qu'on a le droit ?

Second Aspirant. – Fais-moi confiance. *(A Henri, montrant Albert.)* Tu te charges de lui, hein !

> *Les aspirants sortent à droite.*

Henri. – Comment t'ont-ils arrêté ?

Albert. – Ça t'intéresse ?

Henri. – Tu ne crois tout de même pas que c'est moi qui lui ai dit... Je te jure que ce n'est pas moi... Je vais t'expliquer...

Albert. – Peu importe.

Henri. – C'est trop injuste ! *(Pause.)* Je sais, j'ai mal agi envers toi, envers vous, envers moi-même, mais pas cette fois, avant... Ça aussi... il faut que je t'explique...

Albert. – Inutile de revenir là-dessus.

Henri. – Tu me méprises parce que je suis ici, mais quand on est venu me chercher, Lucile venait de me dire... Ils m'ont traîné... comme un objet. Seulement, c'est fini... je pars demain... Oui, je m'évade. J'ai fait un plan, tout est prêt... Et si tu veux bien, si tu acceptes...

> *Entre l'Adjoint à droite, visible seulement pour le spectateur.*

Albert. – Ne t'inquiète pas pour moi. Georges est prévenu.

L'Adjoint, *s'avançant.* — Georges! Tiens, je l'ai rencontré l'autre jour... en faisant des courses pour le Commandant. Il a fait comme s'il ne me voyait pas..., je n'ai pas insisté.

> *Il siffle. Entrent les aspirants qui se jettent sur Albert, le frappent et l'entraînent brutalement à droite.*

ALBERT, *se débattant.* — Pourquoi me frappez-vous?... C'est pour vous que nous combattons, seulement pour vous...

HENRI, *se jetant sur les aspirants qui le bousculent.* — Qui vous a donné l'ordre? Est-ce lui? Bien sûr, c'est lui! Vous étiez à son chevet, tous, et au milieu de ses gémissements, il a crié, il a ordonné...

> *L'Adjoint rit. Les aspirants jettent Henri par terre, puis sortent, entraînant Albert. L'Adjoint sort en sautillant derrière eux. Henri se relève et fait quelques pas, hagard. Entre, à gauche, Lucile, jeune femme gracieuse et fluette.*

HENRI. — Lucile!

> *Il l'étreint.*

LUCILE. — Mon petit!

HENRI. — Tu viens si tard. *(Pause.)* Qu'est-ce qu'il y a? *(Pause.)* Comment as-tu fait pour entrer? L'heure est passée.

LUCILE. — Quand je veux quelque chose...

HENRI, *précipitamment.* — On va te chasser. Nous n'aurons pas le temps de dire un mot. Et j'ai tant de choses à te dire! Lucile, tu es là! C'est toi, je ne rêve pas.

LUCILE. — Tu ne rêves pas.

HENRI, *étreignant Lucile.* — Lucile, ma courageuse Lucile qui a bravé les brutes pour venir jusqu'à moi...

LUCILE. — Voyons, calme-toi.

HENRI. — Si tu savais ce qui s'est passé... Tout à l'heure, avant que tu viennes! Mais tu as dû les voir en entrant. *(Il tend le bras vers la porte de droite.)* Ils ont emmené...

LUCILE. — Je n'ai rien vu d'anormal.

HENRI. — Ils ont emmené Albert. Il s'était enfui, mais ils l'ont rattrapé, et maintenant, pour le punir, ils l'ont emmené... je ne sais pas ce qu'ils vont faire de lui. J'ai essayé de les en empêcher, mais ils étaient nombreux, et puis *(criant)*, ils avaient des ordres!

LUCILE. — Henri, tu ne resteras pas ici. Je te promets... C'est ta Lucile qui te le promet.

HENRI. — Je ne resterai pas ici, bien sûr. *(Bas.)* Écoute-moi, Lucile. Demain... J'ai tout arrangé, tout préparé, sans demander aucune aide, seul... Ce n'était pas commode, mais j'y suis arrivé... Pour la première fois, j'ai agi... Tu ne dis rien. Tu me désapprouves?

LUCILE, *posant son bras sur l'épaule d'Henri.* — Tu ne vas pas t'enfuir. C'est absurde, on te rattrapera, et ce sera pire encore. Regarde, même Albert a été repris, et pourtant eux...

HENRI. — Je sais. Il n'y a que Georges qui ait réussi jusqu'à présent. A lui, tu ferais confiance, avoue-le. *(Criant.)* Lui, tu le suivrais n'importe où! Mais je peux faire aussi bien que Georges. Je te prouverai...

LUCILE. — Je n'ai pas besoin de preuves. Et puis, de toutes façons, tu ne vas pas rester ici. Je suis venue pour te dire... mais tu ne m'as pas laissée parler... Je t'apporte une grande nouvelle. *(Pause.)* Henri, tout est arrangé.

HENRI. — Qu'est-ce qui est arrangé?

LUCILE. — Tu vas le savoir, mais, d'abord, je voudrais que tu saches que c'est pour toi, que c'est pour nous, pour nous deux, Henri, que j'ai...

HENRI. — Que tu as?

LUCILE. — J'ai demandé à mon père de te faire libérer en justifiant qu'il avait besoin de toi, chez nous, à la secte. Je ne t'ai pas parlé de ça dans ma lettre. Ç'aurait été imprudent, et puis, je n'étais pas encore sûre, je ne voulais pas te donner une fausse joie. Mais, maintenant, c'est fini, demain tu seras libre.

HENRI. — Non, je ne veux pas... Je voulais... Je préfère...

LUCILE. — Mais puisque je t'aime, mon petit, puisque c'est moi qui ai tout arrangé... *(Bas.)* Ça n'a pas été facile. Tu le connais, il s'est fait prier longtemps, très

longtemps, il a fallu que je pleure, que je mette mes
bras autour de son cou.

> *Elle met ses bras autour du cou d'Henri.*

HENRI. – Ah, je comprends! Il savait déjà! *(Imitant la voix du Commandant.)* « Bien sûr, bien sûr, on
arrangera ça. » C'était de moi qu'il s'agissait, c'était
moi, le protégé, le chanceux! *(Il marche.)* Je ne peux
pas accepter. Il faut que tu comprennes.

LUCILE *(elle ne bouge pas)*. – Tout ce que je comprends, c'est que tu ne m'aimes pas. *(Pause.)* Lui
seul pouvait te sortir d'ici. Il n'a qu'un mot à dire,
une main à lever, et tout le monde lui obéit, tout le
monde s'écarte...

HENRI. – Je ne lui obéirai pas!

LUCILE. – Je lui obéis bien, moi. Oh, pas toujours...
Il y a aussi les moments où je me révolte, où je le
repousse, où je m'enferme dans ma chambre, pour
être tranquille, enfin tranquille.

HENRI. – Et tu voudrais que je sois là, pauvre
spectateur! *(Criant presque.)* Non, je vais partir, avec
Albert si je peux, si je le retrouve, et je combattrai
avec lui, comme lui... Je te retrouverai plus tard... Je
ne sais pas quand, mais je te retrouverai. Et tu m'es-
timeras, Lucile. Je voudrais tant!

> *Entrent à droite les aspirants.*

SECOND ASPIRANT, *à Henri, riant*. – Alors, tu t'évades?
C'est pour demain, il paraît.

PREMIER ASPIRANT. – Tu aurais pu nous le dire.

TROISIÈME ASPIRANT. – On t'aurait donné des conseils. *(Les aspirants rient.)* Dis donc, tu n'as pas mauvais goût!

HENRI, *très bas*. – Trop tard!

LUCILE. – Puisque je te dis que c'est fini, que tu
vas venir chez nous, chez moi! Henri, on va se voir
tous les jours, et tu es malheureux! Mon petit Henri!
Mon déraisonnable petit Henri!

> *On entend un coup de sifflet. Les aspirants
> jusqu'à présent groupés autour d'Henri et de
> Lucile, vont précipitamment reprendre leurs*

places au fond de la scène, et se remettent à coudre.

HENRI, *bas.* – Oui, tout à l'heure, j'ai crié si fort (*riant amèrement*), pour me justifier !

LUCILE, *s'approchant d'Henri.* – Tu verras, tu ne regretteras rien...

HENRI. – Mais nous ne serons jamais seuls, jamais. Je le connais ! Il faudra assister à toutes les séances, et encore, les soirs, au sermon. Et puis, quel travail veux-tu ?... Je ne suis pas un adepte, je n'ai rien à voir avec tout ça !

LUCILE. – Oui, mon Henri, ce sera dur, il faudra assister au sermon aussi, mais nous serons ensemble, ensemble pour la première fois !

HENRI, *criant.* – Je ne veux pas.

> *Rires des aspirants.*

LUCILE. – Je prendrai ta main. Oui, je me dis que pendant le sermon, s'il y a du monde, et s'il ne nous voit pas, je prendrai ta main.

> *Elle prend la main d'Henri. Rires des aspirants.*

HENRI. – Lucile !

L'ADJOINT, *reparaissant à gauche.* – Et moi, on ne me tend pas la main ? (*Il s'approche, et tend sa main, geste puéril, puis en riant.*) Henri, ce n'est pas gentil, tu aurais pu dire à Mademoiselle Lucile qu'on s'était retrouvés.

> *Il rit. Rires des aspirants. Henri reste interdit.*
>
> *Entre, à gauche, le Commandant. L'Adjoint siffle. Les aspirants se lèvent. Le Commandant va vers Lucile, lui tend la main, et frappe cordialement sur l'épaule d'Henri, qui reste immobile. Les aspirants avancent leurs têtes et regardent, la bouche ouverte. L'Adjoint sautille de joie.*

DEUXIÈME ACTE

LA SECTE

A gauche, une table.
Devant la table, quelques chaises disposées en deux ran-
gées. Derrière la table, encore deux chaises.
A droite, à l'avant-scène, Henri, assis devant une petite
table. Il tient sa tête entre les mains.
Entre, à gauche, le Prédicateur, un vieillard à grande
barbe, vêtu comme un clergyman. L'air las, le dos voûté, il
s'approche lentement d'Henri.

Le Prédicateur. – Alors, on reste dans son coin ?
Au lieu de s'expliquer, de s'excuser...
Henri. – M'excuser de quoi ? Je ne vois pas ce qui
peut...
Le Prédicateur. – Mécontenter ton bienfaiteur ?
Cherche, mon petit, cherche.
Henri. – Je vous écoute.
Le Prédicateur. – Voilà. Ce qui me mécontente,
c'est le peu d'empressement que tu apportes à ton
travail. A peine entré en fonctions, tu as laissé des
inconnus pénétrer, s'installer ici *(haussant la voix)*
dans ma salle.

Pause.

Pourquoi crois-tu que je t'aie placé au contrôle ?
(Henri sursaute.) Pour regarder Lucile, ou pour véri-
fier les cartes des adeptes ? *(Il fait un pas vers Henri, il
le touche presque.)* Avoue que tu regardais Lucile...
juste à ce moment-là !

HENRI. – Non, pas à ce moment-là.

LE PRÉDICATEUR. – Imbécile! Mais c'était ta seule excuse! *(D'une voix soudain très douce.)* Il suffit de la regarder et on ne voit plus ce qui se passe autour de soi..., on oublie tout. Je le sais *(très bas)* mieux que personne.

HENRI, *se levant.* – Eh bien, oui, je regardais Lucile, et Lucile me regardait. *(Pause.)* Qu'y a-t-il là de si extraordinaire? Vous savez parfaitement que c'est pour elle que j'ai accepté ce travail qui me répugne.

LE PRÉDICATEUR, *posant la main sur l'épaule d'Henri, avec effort.* – Tu regardais Lucile, alors, tout est bien, n'en parlons plus. *(Il s'assied. Il est maintenant assis devant Henri debout.)* Je ne me suis aperçu de la chose qu'une fois le sermon fini. Je sentais bien un malaise. Mais je ne savais pas à quoi l'attribuer. C'était... la présence étrangère. *(Henri marche de long en large.)* Ma bonté est grande, mais elle a des bornes. Je pourrais bien te chasser un jour, mon petit, et ce soir-là, Lucile *(Henri s'arrête)* aura beau sangloter : « Père, père, je t'en supplie, ce n'est pas pour moi que je dis ça, mais il est trop malheureux », tu auras déjà roulé dans l'escalier.

HENRI, *s'approchant du Prédicateur.* – Vous feriez aussi bien de me chasser tout de suite. Car je vous préviens, désormais entrera qui voudra. *(Pause.)* Vous comprenez?

LE PRÉDICATEUR. – Je comprends, mon petit, seulement, je ne te crois pas. La prochaine fois, tu seras plus raisonnable.

> *Le Prédicateur sort à gauche. Henri se lève pour le suivre mais revient sur ses pas. Il marche un long moment, puis entre Lucile.*

HENRI. – Lucile, je ne peux plus!

LUCILE, *mettant la main sur l'épaule d'Henri.* – Tu trembles, mon petit. Qu'est-ce qu'il y a encore? Raconte. Lucile est là, elle t'écoute.

HENRI. – Je viens de voir ton père. Cette fois, il a dépassé les limites. Il prétend que je suis incapable d'assumer... mon service! Et puis, il a parlé de toi, comme toujours. Je lui ai répondu...

Lucile, *riant.* — Ah, tu t'es disputé avec lui! C'est pour ça qu'il voulait, de nouveau, m'empêcher de venir te voir! Il m'entourait de ses bras, il répétait : « Lucile, ma petite Lucile, reste avec moi! »

Henri. — Et tu n'as rien dit, tu t'es laissé faire?

Lucile. — Je ne me suis pas laissé faire puisque je suis ici.

Henri. — Lucile, je veux te parler. Il faut que je parte, c'est trop honteux. Pendant que je fais le concierge à la Secte, il y a des hommes qui continuent la lutte, qui risquent leur vie, pour que d'autres plus tard en profitent, pour qu'eux, au moins, n'étouffent pas...

Pause.

Bien sûr, je fais ce que je peux. J'essaie de sauver Albert, mais ce n'est pas en passant mes journées ici que j'y parviendrai. Il faut du temps et des forces.

Lucile. — C'est moi qui te prends tes forces, Henri?

Henri. — Pourquoi dis-tu ça? Tu sais bien que, sans toi, je ne suis rien...

Lucile. — Et tu veux me quitter? Tu veux compromettre, à cause d'une vétille, le terrible effort que j'ai fait pour que, simplement, nous puissions être là, comme nous sommes là...

Henri. — Lucile! Ce n'est pas bien! Tu sais que je céderai une fois encore; tu le sais et tu en profites. *(Criant presque.)* Lucile, si tu m'aimes, il ne faut pas!

Entre, à droite, Mathilde, toujours en deuil.

Mathilde, *s'approchant timidement d'Henri.* — Bonjour, Henri. Je te dérange?

　　　　Elle se tourne vers Lucile, les deux femmes se serrent la main.

Lucile. — Bonjour, Mathilde.

Henri, *à Mathilde.* — Qu'est-ce que tu veux?

Mathilde. — Excuse-moi. Je sais, j'aurais dû te prévenir. Je voulais seulement te dire..., mais ça ne fait rien. Je reviendrai un autre jour... quand tu pourras...

Lucile, *à Mathilde.* — Non, restez. *(A Henri.)* Je le prends sur moi, n'aie pas peur.

HENRI. – Peur de quoi?

MATHILDE. – Il ne faut pas m'en vouloir, Henri. *(Avec peur.)* Si tu savais!...

> *Lucile prend Mathilde par la main et la conduit jusqu'à la dernière rangée de chaises.*

LUCILE, *à Mathilde*. – Asseyez-vous là. *(Mathilde s'assoit.)* Vous parlerez à Henri après le sermon. Il est préoccupé en ce moment, mais ça ira mieux tout à l'heure. *(S'approchant d'Henri.)* Tu as fait de la peine à ta sœur, ce n'est pas gentil.

HENRI, *bas*. – Elle arrive toujours si mal!

LUCILE. – Tu es injuste.

HENRI, *bas*. – Lucile, avant qu'elle vienne, je te disais...

LUCILE. – Naturellement, c'était toi le préféré de ton père.

HENRI. – Pourquoi me parles-tu de ça, tout à coup?

> *Entrent, à droite, le Premier et le Second Adeptes.*

SECOND ADEPTE, *aux autres*. – Qu'est-ce que je disais? On avait le temps d'aller jusqu'au stand.

PREMIER ADEPTE. – On ne risquait rien. On avait nos cartes sur nous.

HENRI, *bas, excédé*. – Tout recommence!

LUCILE. – J'aimerais connaître mieux ta sœur. Mais elle est si timide qu'elle m'intimide à mon tour, et je fais comme elle, je me recroqueville. *(Pause.)* Je voudrais l'interroger sur toi, sur votre vie à tous les deux. Tu ne me dis jamais rien, Henri.

HENRI. – J'ai quelque chose à te dire de plus important, mais tu ne m'écoutes pas. Et tu parles du passé, de Mathilde, pour ne pas m'écouter.

LUCILE. – Je t'écoute.

HENRI, *saisissant brutalement la main de Lucile*. – Pourquoi n'as-tu pas voulu partir quand je te l'ai demandé?

LUCILE. – Parce que tu n'as pas su me convaincre, mon pauvre petit.

VOIX DU PRÉDICATEUR. – Lucile!

Lucile s'éloigne et sort à gauche. Henri ne bouge pas.

MATHILDE, *se levant et allant vers Henri.* — Lucile est fâchée! Henri, ça ne me regarde pas, mais tu n'aurais pas dû! Elle a fait beaucoup pour toi, Lucile!

HENRI. — Je ne lui en demandais pas tant.

PREMIER ADEPTE, *au second.* — Il n'est pourtant pas à plaindre, celui-là.

Entre l'Adjoint à gauche.

L'ADJOINT, *s'approchant.* — Mais c'est Mathilde! *(A Henri.)* Elle ne nous oublie pas, Mathilde. *(Pause.)* Qu'est-ce que tu as fait à Lucile, elle n'a pas l'air content. Vous vous êtes disputés?

HENRI. — Te voilà encore! Tu es donc ici uniquement pour t'occuper de moi?

L'ADJOINT, *boudeur.* — Je ne te gêne pas beaucoup. C'est à propos de Georges que vous vous êtes disputés? Tu te fais des idées! Ils se voient, mais pas pour le plaisir... De temps en temps, il la charge d'une petite mission, elle va prévenir quelqu'un, porter une lettre, tu vois le genre! *(Secouant la main.)* Si le vieux savait ça!

HENRI, *poussant l'Adjoint.* — Fais attention à ce que tu dis.

L'Adjoint recule comiquement et se protège le visage de son bras.

MATHILDE, *s'approchant d'Henri.* — Ne te fâche pas. Tu sais bien qu'il aime te taquiner.

L'Adjoint baisse le bras.
Entre le Prédicateur, appuyé sur Lucile. L'Adjoint siffle. Les adeptes se lèvent. Le Prédicateur et Lucile contournent les chaises, passent devant Henri qui ne bouge pas. Puis le Prédicateur va à sa table où l'Adjoint l'attend. L'Adjoint siffle. Tous s'assoient excepté Henri, à droite, et Lucile, au fond, à gauche.

LE PRÉDICATEUR, *debout, derrière sa table.* — Mes enfants, ce que j'ai à vous dire, vous le savez déjà. Ce que vous ne savez pas, vous n'avez pas besoin de l'ap-

prendre, car d'autres, plus sages et plus âgés que vous,
l'ont su pour vous. Appuyez-vous sur eux.

> *On entend des coups de sifflet au loin, per-
> sonne ne réagit.*
> *Entre, à droite, le Troisième Adepte affolé.
> Il va s'asseoir sur une chaise de la dernière
> rangée.*

SECOND ADEPTE, *au Premier, à voix basse.* — A sa
place, je ne serais pas venu du tout. Apparaître à une
heure pareille !

> *L'Adjoint fait signe aux adeptes de se taire,
> ils obéissent. Le Troisième Adepte honteux
> baisse la tête. Henri fait signe à Lucile qui ne
> répond pas.*

LE PRÉDICATEUR. — N'essayez pas d'aller de l'avant
(Avec effort.) Quiconque fait un pas peut trébucher.

> *Pendant que le Prédicateur parlait, Georges
> apparaît à droite. Dès son entrée, le Prédica-
> teur se trouble. A la fin de sa réplique, il chan-
> celle. L'Adjoint le soutient et l'assied. Le Pré-
> dicateur fait signe à Lucile de venir, elle obéit.
> Personne, excepté le Prédicateur et l'Adjoint
> qui lui font face, n'a encore vu Georges.*

HENRI, *qui a, enfin, aperçu Georges, s'avançant vers lui.* —
Que viens-tu faire ici ?

GEORGES, *bas.* — Tu ne devines pas ?

HENRI, *bas.* — Tu viens voir Lucile. *(Pause.)* Avoue-
le.

GEORGES, *bas.* — Imbécile !

> *Henri se jette sur Georges. Ils se battent.
> Henri a le dessous. Il est jeté par terre. Les
> adeptes se lèvent et regardent, hébétés. Le Pré-
> dicateur se lève, fait quelques pas, puis hésite
> et s'arrête. L'Adjoint surveille peureusement la
> scène de loin. Lucile, qui s'est dégagée de
> l'étreinte du Prédicateur, s'approche un peu de
> Georges et d'Henri. Mathilde aide Henri à se
> relever. Le Prédicateur s'approche à son tour et,*

> *brusquement, donne un croc-en-jambe à Georges qu'il fait tomber.*

LUCILE, *au Prédicateur.* – Pourquoi?

LE PRÉDICATEUR, *riant, il est maintenant tout à fait d'aplomb.* – Il fallait bien que je soutienne Henri.

> *Georges se relève. Il s'avance menaçant sur le Prédicateur. Lucile l'arrête d'un geste de la main. Le Prédicateur rit et met sa main sur l'épaule de Lucile. L'Adjoint s'approche d'Henri et de Mathilde.*

GEORGES, *à Lucile.* – Oui, j'ai mieux à faire. *(Se tournant vers les adeptes.)* Vous avez pu voir dans la pratique l'enseignement de vos maîtres. Puisse cette leçon vous être utile.

> *Il sort sans se retourner. Henri, à bout de forces, s'est laissé tomber sur une chaise. Les adeptes murmurent.*

L'ADJOINT, *sifflant.* – Demain, à la même heure, Messieurs.

> *Les adeptes se lèvent et se dirigent vers la porte de droite.*

SECOND ADEPTE, *au Premier.* – Aujourd'hui, au moins, on se sera amusés.

TROISIÈME ADEPTE. – Si on ne s'amusait pas de temps en temps, alors...

PREMIER ADEPTE. – Alors, quoi?

> *Rires. Ils sortent.*

LE PRÉDICATEUR, *s'asseyant sur une chaise, à Lucile.* – Il n'a pas pu s'empêcher de faire un discours. *(Riant.)* Tu en as de drôles d'amis, ma Lucile!

L'ADJOINT. – Il aura toujours échappé à la rafle. C'est ce qu'il voulait.

> *Il s'approche d'Henri toujours assis et hébété.*

MATHILDE, *à Henri.* – Comme il t'a sauté dessus! Qu'est-ce qui lui a pris? Je croyais que vous étiez bien ensemble... La dernière fois qu'il est venu à la maison, je me rappelle, c'était juste avant la mort de papa. *(Pause.)* Il ne t'a pas fait mal, au moins ?

> *L'Adjoint fait non de la tête, Henri ne bouge toujours pas.*

HENRI, *à Mathilde.* — Va-t'en, je t'en supplie.

MATHILDE. — C'est ça, je m'en vais... Je repasserai demain... à tout hasard... J'ai tellement peur... C'est Berne... Je te raconterai.

> *L'Adjoint pousse doucement Mathilde dehors.*

LUCILE, *qui s'est approchée d'Henri.* — Henri...

LE PRÉDICATEUR *(il se lève et s'approche d'Henri).* — Félicitations, mon petit ! Tu as bien fait ton service. *(A Lucile.)* Je t'avais dit qu'Henri obéirait.

HENRI *(il se lève et crie).* — Ce n'est pas vrai... Je ne vous ai pas obéi ! Ce n'était pas ça ! Lucile, tu sais bien que ce n'est pas ça que j'ai fait... Lucile, explique-lui, aide-moi. Je ne veux pas qu'il croie... C'est une coïncidence, seulement une coïncidence. Lucile, je ne sais pas ce qui m'a pris, c'était plus fort que moi, il ne faut pas m'en vouloir...

LUCILE. — Je ne t'en veux pas. *(Bas, au Prédicateur, qui a pris sa main.)* Tu me fais mal !

> *Elle cherche à se dégager.*

LE PRÉDICATEUR, *à Henri.* — Tout de même, je te croyais plus fort, mon garçon. Lucile aussi. Tout à l'heure, elle me chuchotait à l'oreille : « Je le croyais plus fort, plus agile, surtout. »

> *L'Adjoint désapprouve de la tête.*

LUCILE. — Je n'ai pas dit ça !

LE PRÉDICATEUR, *s'appuyant sur la chaise où était assis Henri, d'une voix geignarde.* — Lucile, ma petite Lucile, répète... J'ai mal entendu... je suis si fatigué, j'essaie de faire un effort pour toi, pour toi, mais ce sont ces douleurs...

> *Il porte la main à sa tête.*

Henri, *saisissant brutalement le Prédicateur.* – Inutile de vous donner tant de peine, c'est fini, on ne me fait plus peur... Et puisque je m'en vais, puisque, de toutes façons, je m'en vais! Lucile, tu entends, je m'en vais!...

> *L'Adjoint approuve de la tête.*

Lucile. – Tu es fou, lâche-le, il est si faible...

> *Henri lâche le Prédicateur qui s'abat lourdement sur la chaise. Dès cet instant, il restera immobile, comme pétrifié.*

Le Prédicateur, *étendant les mains vers Lucile qu'il saisit et approche de lui.* – Merci, ma petite fille... *(Pause.)* Il parle de s'en aller, de nous quitter, mais où ira-t-il, il ne sait rien faire, rien du tout...

L'Adjoint. – Henri a ses diplômes, il peut se débrouiller...

Le Prédicateur. – Je croyais...

L'Adjoint, *à Henri.* – On s'en va?

Henri, *sourdement.* – Oui.

> *Henri va à droite et sort, suivi de l'Adjoint.*

Lucile, *faisant un pas à droite.* – Tu ne vas pas t'en aller! Tu ne vas pas me quitter! *(A la porte, criant :)* Henri!

Le Prédicateur. – Lucile! *(Lucile va vers le Prédicateur.)* Lucile, ma précieuse petite Lucile!

TROISIÈME ACTE

L'ÉCOLE

Au fond, une table sur une estrade. Devant l'estrade, quelques chaises disposées en deux rangées. Trois des chaises sont occupées par les élèves. Derrière la table, sur l'estrade, Henri assis. A sa gauche, l'Adjoint également assis.

HENRI, *se levant.* — Je ne veux pas vous tenir le langage dont on s'est servi depuis toujours pour vous endormir, pour vous paralyser. *(Parodiant la voix du Prédicateur)* : « Mes enfants, ce que j'ai à vous dire, vous le savez déjà. » Ce que, moi, j'ai à vous dire, vous ne le savez pas.

Rires des élèves.

Il vous reste encore beaucoup de choses à apprendre. *(S'asseyant.)* Je vais essayer de vous les apprendre, bien que, peut-être, je ne sois pas parvenu...

Rires.

Je me suis attardé longtemps, plus longtemps que les autres, mais j'ai accompli un travail sur moi-même, et dans des conditions particulièrement difficiles. *(Rires.)* Particulièrement difficiles... *(Pause.)* Mais quand on tient à une chose, qu'on est tout entier tendu vers elle, et que, pour elle, on est prêt à supporter tous les coups... Je dis bien : pour elle... Autrement, il ne faut pas...

Rires, chuchotements.

Quand on n'a pas de but, quand on ne vise pas sans cesse le même point précis, alors, on devient soi-même la cible. *(Rires.)* Et c'est toujours le même côté qui est atteint, toujours le même, et toujours plus profondément !

Rires.

SECOND ÉLÈVE. – Pauvre type !

HENRI. – Il y a des choses que l'on peut faire et d'autres que l'on ne peut pas faire... parce qu'on n'est pas fait pour elles... C'est l'injustice des données !

Les élèves crient : hou! hou!

Qu'est-ce que je voulais dire ? Je ne sais plus. *(Rires.)* Oui, qu'il suffit de donner une preuve, n'importe quelle preuve.

Rires.

TROISIÈME ÉLÈVE, *aux autres.* – On fait un rapport ?

SECOND ÉLÈVE. – J'en ai déjà fait deux. Seulement d'ici qu'on en prenne connaissance...

HENRI. – Je crois que j'en ai donné... et qu'en ce moment même, je donne... je donne... *(Hou des élèves.)* Il ne vous est donc pas arrivé de chercher, et de ne pas trouver ce que vous cherchez... Évidemment, si on ne cherche jamais rien, si on reste à l'abri, comme un lâche...

L'ADJOINT. – Allons, ne t'énerve pas. Fais-leur plutôt répéter ce que tu as dit.

HENRI, *criant.* – Qu'est-ce que j'ai dit ? Répétez ! *(Rires.)* Ce n'est pourtant pas difficile. Je ne vous demande pas de réciter mes phrases, par cœur, mécaniquement. Si vous vous trompez, si vous oubliez quelque chose, ça ne fait rien. Pourvu que vous donniez le sens, que vous disiez le but !

Rires.

C'est vrai, je me suis embrouillé à plusieurs reprises, mais, dans l'ensemble, j'ai parlé assez fort, assez distinctement. Et je n'ai pas geint, et je ne vous ai pas menacés. Alors, pourquoi ?

Déchaînement de rires, exclamations.

L'Adjoint. – De la bonne volonté, Messieurs! *(A Henri.)* Ne te laisse pas faire, Henri. Punis-les!

Henri. – Ah, vous continuez! Vous voulez que je vous traite comme des enfants, que je vous mette au coin, que je vous punisse?

Les rires s'apaisent.

L'Adjoint, *à Henri*. – Oui, c'est ça qu'ils veulent.

Henri. – Eh bien, si c'est ça... Non, je ne peux pas. Et puis, comment?

L'Adjoint. – Commence par leur parler du désordre...

Henri. – C'est vrai, il y a ici un tel désordre. C'est peut-être à cause de ça... en partie...

L'Adjoint. – Eh bien, tu leur dis : est-ce qu'il y a du désordre ici? Ceux qui pensent le contraire, qu'ils lèvent la main.

Henri, *d'une voix absente*. – Est-ce qu'il y a du désordre ici?

L'Adjoint. – Ceux qui pensent le contraire, qu'ils lèvent la main.

> *Le Troisième Élève veut lever la main, les autres l'en empêchent, rires.*

L'Adjoint *(il se lève et a peine à réprimer son rire)*. – Alors, on reconnaît le fait.

Les Élèves, *levant la main*. – Non, non!

Henri *(il se lève et crie)*. – Trop tard! Vous l'avez reconnu! Ce serait trop simple si on pouvait se ratraper comme ça, par un seul geste, au dernier moment!

Troisième Élève, *aux autres*. – C'est un fou, il me fait peur.

Premier Élève. – Il déshonore l'école!

Second Élève. – Ça ne va plus.

Henri, *criant*. – Comment voulez-vous réfléchir dans un désordre pareil! *(Rires.)* Ces papiers qui traînent partout!

L'Adjoint. – Jusque sous nos pieds, Messieurs.

Henri, *criant*. – Mais balayez, qu'attendez-vous? A qui était-ce de balayer aujourd'hui?

Premier et Second Élèves, *désignant le Troisième*. A lui! C'était son tour!

Le Troisième se lève, rires.

HENRI, *criant, terrifié.* – Je n'ai pas demandé de qui c'était le tour. *(Au Troisième Élève qui a saisi un balai.)* Non, lâchez ça! Pas maintenant! *(Pause.)* Allez-vous-en tous, vite, plus vite! *(Il se laisse tomber sur la chaise, puis à l'Adjoint.)* Aide-moi. Dis-leur de partir. Tu ne vois donc pas que je n'en peux plus!

L'ADJOINT. – Vous feriez bien d'aller chercher vos insignes, Messieurs.

> *Les élèves se lèvent et se dirigent vers la porte de droite.*

SECOND ÉLÈVE, *aux deux autres.* – On n'a plus de temps à perdre.

> *Ils sortent.*

HENRI, *bas, accablé.* – Qu'est-ce que je leur ai fait?

L'ADJOINT. – C'est de ta faute. Tu veux toujours tout révolutionner!

HENRI, *bas.* – J'ai présumé de mes forces. *(Pause.)* Je savais pourtant... depuis toujours. Comment ai-je pu?...

L'ADJOINT. – Devenir professeur? Mais c'était pour Lucile.

HENRI *(il se lève et marche).* – Oui, c'était pour elle, rien que pour elle, pour pouvoir lui dire *(il s'arrête)* : « Tu vois, moi aussi, je suis capable... Je n'exige rien de toi, mais si, un jour, tu es seule et si tu veux bien, maintenant, c'est possible, et j'ai le droit de te proposer... » *(Bas.)* Seulement, ce n'est pas vrai, je n'ai aucun droit! *(Criant.)* Les rêves ne donnent pas de droit!... *(Il marche de nouveau, puis s'arrête.)* Tu comprends, c'est inutile, ils vont revenir, ils seront de nouveau là, et je ne pourrai plus, et même si je pouvais cette fois encore... De toutes façons, tout se saura, je serai jeté à la rue.

L'ADJOINT. – D'accord, ça va plutôt mal. Mais il ne faut pas exagérer!...

HENRI. – Je n'ai pas osé écrire à Lucile, elle ne sait pas ce que je fais pour elle. Rien ne dit qu'elle osera... Son père est toujours là. Il se lèvera, il se mettra entre nous.

L'ADJOINT. – Il est mal en point, le vieux, tu sais.

Henri. — Après la Secte, l'école! La mesure est pleine. Tenter la chance, c'est bien, mais encore faut-il qu'il y en ait une. *(Criant.)* Et il n'y en a pas! Il n'y en a pas! *(Presque à voix basse.)* Pourquoi ne les ai-je pas rejoints tous les deux? Qu'est-ce qui m'en empêchait? Oui, la rancune et la peur qu'ils ne veuillent pas de moi. *(Fort.)* Mais je leur aurais expliqué, ils auraient fini par comprendre...

L'Adjoint. — Tu crois?

Henri, *très vite*. — Bien sûr, je pourrais encore partir, il est encore temps. On voudra toujours de moi. Des hommes prêts à se sacrifier, il n'y en a pas tellement, la demande reste ouverte. Seulement, je suis brisé *(criant)* et je n'y crois plus! *(Désignant la porte à droite.)* Ce n'est pas de ma faute. Ce sont eux, eux les responsables! Eux tous! Ils ont gagné.

L'Adjoint *ramasse une lettre par terre à ses pieds.* — Mais c'est une lettre pour toi! Je vois ton nom. C'est drôle, elle date de plusieurs jours.

Henri, *s'approchant*. — Une lettre?

L'Adjoint. — Je te la lis?

Henri. — Si tu veux.

L'Adjoint, *lisant*. — Henri, mon père est très malade. Viens vite, je t'en supplie, Lucile. *(Dégagé.)* Il y a un post-scriptum. *(Lisant.)* « Je t'ai pardonné dans mon cœur ».

Henri. — Lucile, c'est Lucile qui m'appelle!

L'Adjoint. — Au lieu de t'appeler, elle aurait mieux fait de te suivre une bonne fois.

> *Henri arrache la lettre des mains de l'Adjoint et la lit.*

Henri. — Lucile m'a pardonné!

L'Adjoint. — Possible, mais elle n'avait pas à te dire ça, dans un mot aussi court.

Henri. — Je l'ai accusée de tout... J'ai tout rejeté sur elle, et elle m'a rappelé...

L'Adjoint. — Et après? A l'armée, elle est même venue te chercher. Ça a bien arrangé les choses!

Henri. — Et elle ne se doute même pas de ce que j'ai fait pour elle, elle me donne sa confiance, sans savoir, aveuglément...

L'ADJOINT. – Alors, tu vas la voir?

HENRI. – Tout de suite.

L'ADJOINT. – La lettre date de quand?

HENRI. – Peu importe.

L'Adjoint se lève et regarde l'enveloppe qu'Henri tient toujours à la main.

L'ADJOINT. – Déjà trois jours! Tu ferais mieux d'écrire avant d'y aller. Suppose qu'elle ne soit plus là. Un voyage pour rien!

Il retourne s'asseoir à sa place et recommence à se balancer.

HENRI. – J'ai déjà perdu trop de temps. Quand je pense que cette lettre était là, et que je ne l'ai même pas vue.

L'ADJOINT. – Ça ne t'ennuie pas de revoir le papa? A ta place, après ce qui s'est passé...

HENRI. – Cette fois, il est réellement malade.

L'ADJOINT. – Il en profitera d'autant plus pour gémir.

HENRI. – Tu verras, désormais, je saurai faire mes cours. Je trouverai les mots qu'il faut, ils ne pourront plus rien contre moi. On ne fera pas de rapport.

L'ADJOINT. – A condition que tu ne t'absentes pas, comme ça, sans prévenir...

HENRI. – Mais si tu leur expliques... Dis, tu veux bien?

L'ADJOINT. – Je ferai de mon mieux. Mais ce n'est pas prudent. Après l'effort que tu as fait, ce serait un peu bête...

HENRI. – Elle a besoin de moi. Besoin de moi pour la première fois! Et je l'abandonnerais pour garder un poste! Mais j'en trouverai un autre, aussitôt, n'importe où. Maintenant, j'ai toutes les forces.

Il met son manteau.

L'ADJOINT. – Ça te regarde.

Entre à droite Lucile en deuil.

HENRI, *se précipitant vers Lucile.* – Lucile, ma chérie! *(Il l'étreint.)* Ma Lucile qui vient à moi!

LUCILE, *mettant sa tête sur l'épaule d'Henri*. – Je suis venue chercher refuge auprès de toi. *(Pause.)* J'ai tellement pleuré, Henri...

HENRI *(il recule)*. – C'est vrai, tu es en deuil. Je ne l'avais même pas remarqué! Je n'ai vu que toi!

LUCILE. – Il est mort tout à coup, sans un gémissement, sans un geste, le jour même où je t'ai écrit.

Elle pleure.

HENRI. – Laisse-moi t'expliquer, j'ai reçu ta lettre trop tard. *(A l'Adjoint.)* N'est-ce pas?

L'ADJOINT, *navré*. – On vient de la trouver tout à l'heure. Par terre!

> *Lucile s'est assise. Elle pleure toujours.
> L'Adjoint se lève, s'approche de Lucile et se
> penche sur elle.*

Voyons, Mademoiselle Lucile! Henri est là!

HENRI. – Si tu savais! Je veux tout te dire. Ce n'est pas le moment, bien sûr, mais je ne peux pas m'empêcher...

> *Il s'approche de Lucile. L'Adjoint retourne
> s'asseoir à sa place.*

LUCILE. – Je suis si seule!

HENRI, *levant Lucile qui se laisse faire*. – Tu n'es pas seule! Lucile, j'ai une situation à présent. J'ai fait ça pour toi, seulement pour toi, pour avoir le droit de te demander... Si un jour... Et voilà le jour est venu, la grande journée! Tu es triste, je ne devrais pas me réjouir, pardon. Mais c'est si merveilleux, Lucile, que tu sois là!

Entre à droite Albert.

HENRI, *terrifié*. – Qu'est-ce que tu veux?

ALBERT. – Te parler de Georges.

Il s'avance, menaçant, sur Henri.

HENRI. – Je sais, je n'aurais pas dû. Mais il ne faut pas m'accuser trop vite...

ALBERT. – Tu l'as fait jeter dehors... dans la rafle.

LUCILE, *avec peur*. – On l'a arrêté?

ALBERT. – Un instant plus tard, au coin de la rue. *(Pause.)* Et hier, j'ai appris que je ne le reverrais plus. *(Poussant brutalement Henri qui se laisse faire.)* Tu ne payeras jamais assez cher. *(Il fait tomber Henri, puis crie :)* On ne peut plus rien me faire. Vous entendez, plus rien !

> *Il sort à droite.*

L'ADJOINT, *à mi-voix.* – On avait bien besoin de ça.

> *Il se lève, va peureusement jusqu'à la porte pour s'assurer du départ d'Albert, et s'approche d'Henri qui n'a pas bougé.*

HENRI. – Ce n'est pas possible... pas possible...

> *Il se relève avec peine. Lucile passe la main sur ses yeux.*

L'ADJOINT, *brossant de la main Henri qui se laisse faire.* – On n'y est pour rien.

LUCILE, *s'approchant d'Henri.* – Ce n'est pas de ta faute. Qui aurait pu deviner ?

> *Elle pleure.*

HENRI, *criant.* – C'est de ma faute ! *(Pause.)* Il y avait des coups de sifflet, sans arrêt, partout ! Maintenant, je me rappelle... Seulement, je ne voulais pas les entendre parce que...

LUCILE. – Parce que tu étais jaloux de Georges et que tu t'imaginais bien injustement... *(Maternelle.)* Je sais tout, Henri. *(Pause.)* Mon petit Henri, je suis tout près, je te protège !

HENRI, *repoussant brutalement Lucile.* – Non, je ne veux plus ! C'est fini, je n'ai plus l'âge. *(Criant à tue-tête :)* Va-t'en !

L'ADJOINT, *s'approchant de Lucile.* – Laissez-le. Ça s'arrangera avec le temps.

> *Il pousse doucement Lucile qui pleure vers la porte. Lucile sort. Il revient près d'Henri qui s'est laissé tomber sur une chaise et lui frappe sur l'épaule.*

Henri, voyons ! *(Il essaie de soulever Henri.)* Après tout, si tu te trouves bien là...

Il se dirige vers l'estrade.

Entrent les élèves qui se montrent du doigt Henri et vont s'asseoir silencieusement à leurs places. L'Adjoint s'arrête et les regarde avec surprise. Entre le Directeur, veste noire, pantalon rayé. Tous se lèvent, excepté Henri.

L'Adjoint, *s'inclinant.* — Monsieur le Directeur...

Le Directeur va s'asseoir, sur l'estrade, à la chaise qu'occupait Henri. L'Adjoint regagne peureusement sa place.

Le Directeur, *mettant la main à plat sur la table, à Henri et à l'Adjoint.* — La plaisanterie a assez duré, Messieurs.

QUATRIÈME ACTE

LA CHAMBRE DU PÈRE

*Les meubles sont restés à la même place, rien n'a changé.
A gauche, assise sur le lit, Mathilde. Henri a posé sa tête
sur les genoux de Mathilde. Sur une chaise, la veste d'Henri.*

MATHILDE. – Ne pleure pas, Henri! Ta petite Mathilde est là, tout près. Elle ne t'a pas servi à grand-
chose, jusqu'à présent, ta petite Mathilde, mais elle va
peut-être t'aider un peu, un tout petit peu... Tu
veux bien?

HENRI, *à voix basse.* – Oui, je veux bien.

MATHILDE, *se penchant sur Henri.* – Tu verras, les
choses s'arrangeront.

HENRI. – Oui.

MATHILDE. – Je suis plus forte maintenant. Je prendrai un petit travail. *(Pause.)* J'espère qu'il me laissera
faire. *(Pause.)* On se verra souvent..., tous les jours...

HENRI, *relevant la tête.* – De quoi parles-tu? *(Désespéré.)* Je ne comprends rien, plus rien.

> *Il laisse retomber sa tête sur les genoux de
> Mathilde.*

MATHILDE. – Ce ne sera peut-être pas si difficile.

HENRI, *bas, avec effort.* – Qu'est-ce qui ne sera pas
difficile?

MATHILDE. – Je lui expliquerai, il comprendra.

HENRI, *absent.* – Expliquer quoi? A qui explique-
ras-tu?

MATHILDE. – Je lui dirai que tu es trop malheureux. *(Pause.)* Tu sais, maintenant, il lui arrive de
m'écouter. *(Pause.)* Il me regarde à peine, on dirait
(elle tressaille) qu'il est fâché, mais il m'a entendue et,
parfois, il fait ce que je lui demande, il veut bien...

HENRI, *se redressant.* – Je te défends de parler de moi
à Berne. *(Criant presque.)* Tu entends?

Il se lève.

MATHILDE *(elle se lève et touche l'épaule d'Henri).* –
Moins fort! *(Pause.)* C'est à cause des voisins...

> Elle se rassied et essaie de faire rasseoir
> Henri.

HENRI, *debout.* – Si tu avais été là! Si tu avais vu!
L'un après l'autre! C'est allé vite, si vite!

MATHILDE, *bas.* – J'ai longtemps cru qu'il était
méchant... Mais je me trompais... Maintenant, je suis
sûre que je me trompais. *(Pause.)* Il ne t'aime pas,
mais c'est, sans doute, parce qu'il sent que tu n'as pas
d'amitié pour lui. Depuis la mort de papa, tu n'es pas
venu le voir une seule fois pour lui demander conseil.
Jamais tu ne lui parles de toi, de tes projets. *(Henri
éclate de rire.)* Vraiment, ça t'ennuie, que je lui parle,
que j'essaie... Mais à qui d'autre veux-tu que je
m'adresse? Je ne connais personne.

HENRI, *criant.* – C'est de moi!...

MATHILDE. – Henri, je t'en supplie! Il y a des enfants qui dorment, dans les chambres voisines.

HENRI *(il se rassied).* – C'est vrai, ça ne sert à rien,
à rien. *(Mathilde s'assied et prend de nouveau la tête
d'Henri sur ses genoux, il se laisse faire.)* Je suis fatigué.

> Entre à gauche Berne, vêtu du peignoir de
> bain blanc que portait le Père au prologue.
> L'Adjoint le suit. Mathilde se lève très vite.

BERNE. – Alors, on a des visites le soir, maintenant? *(Pause.)* Tu croyais que je faisais dodo? C'est
vrai, j'étais déjà dans mon lit. Mais *(riant)* mon ancien et nouveau petit collaborateur est venu me ra-
conter ses peines et me demander secours; on a ba-
vardé un peu, on a aussi parlé de toi, mon garçon.

L'ADJOINT, *plus enfantin que jamais*. – On ne se lâche pas, hein? Ce n'est pas le moment.

BERNE. – Je ne croyais pas que tu viendrais au beau milieu de la nuit. Remarque, j'y ai pensé. Et puis, je me suis dit : il n'a pas vu Mathilde depuis des mois, il ne viendra pas se faire consoler, comme ça, de but en blanc. Ce sera pour demain matin. *(Pause.)* Qu'est-ce qu'il y a? Ça t'étonne de me trouver ici, chez nous? *(A Mathilde, rieur.)* Alors, on ne fait plus de confidences à son grand frère? On ne lui dit plus comment on vit, ce qu'on fait? Oui, Mathilde et moi, on a fini par s'entendre très bien, à la longue! Pas vrai, fillette? Les vieilles habitudes, rien de tel. *(Pause.)* Oui, c'est pourquoi on s'est installés ici, tous les deux. *(Pause.)* Toi, c'est autre chose, tu t'es lancé dans les aventures, l'amour, les études... Enfin, on se retrouve, c'est l'essentiel.

L'ADJOINT *(il veut embrasser Henri)*. – Henri, je suis content. *(Henri le repousse.)* On dirait que tu m'en veux? Je n'ai pas fait tout ce que j'ai pu?

> *Berne va s'asseoir sur le lit. Henri veut se lever, mais n'y parvient pas. Berne étend ses jambes, elles touchent Henri qui ne bouge pas.*

BERNE, *geignant*. – Où es-tu? Laisse ça, on a tout le temps. Viens par ici, fillette.

MATHILDE, *peureusement*. – Je viens.

> *Mathilde s'approche de Berne qui l'assied à côté de lui. Berne prend le bras de Mathilde et le pose sur son épaule. Mathilde se laisse faire. Henri se lève brusquement; mais il titube. Il reste un long moment immobile, comme pétrifié.*

BERNE. – Henri est inquiet à ton sujet. Rassure-le. Dis-lui que sa petite sœur n'est pas si à plaindre sous l'aile du vieil ami qui l'a vue naître...

MATHILDE, *comme si elle récitait une leçon apprise par cœur*. – Oui, Berne a été assez bon pour me garder près de lui... Il a été...

BERNE. – Un père pour toi! *(Riant.)* Oh, pas tout à fait un père!

HENRI. – Comment osez-vous?

BERNE, *geignant.* — Qu'est-ce que tu dis? Je ne comprends pas...

L'ADJOINT. — Tu devrais te reposer, Henri.

HENRI. — Que me veux-tu? Toujours là où je suis! *(Criant.)* Ne me touche pas!

BERNE. — Du calme, les enfants! *(Bas.)* Pauvre petite Lucile! Orpheline à son âge! Et sans personne pour la consoler!

> *Il assied Mathilde sur ses genoux. Henri bondit. L'Adjoint, qui s'était approché, s'écarte peureusement.*

MATHILDE. — Tu as l'air fâché, Henri? Pourquoi? Tout est comme avant.

> *Au loin, on entend des coups de sifflet. Berne se met à rire. Henri sursaute et se lève.*

HENRI. — C'est là, tout près... Ils sont aussi forts... Non, pas aussi forts... Pas aussi près! Mais, à quoi bon? Puisqu'on ne peut plus rien leur faire, puisque c'est fini...

BERNE. — Il faut tout de même assurer l'ordre, mon petit.

> *Henri s'avance menaçant sur Berne.*

BERNE, *geignant.* — J'ai froid. Fais-moi une tisane, fillette. Vite, bien vite! Ça ne va pas... *(Henri s'est arrêté. Berne relève son pantalon et se masse les jambes.)* On n'y peut rien! C'est l'âge! Chacun son tour!

> *L'Adjoint prend, sur la chaise, la veste d'Henri et la met. Elle est trop grande, les manches sont trop longues.*

L'ADJOINT, *à Berne.* — Je peux faire quelque chose pour vous?

BERNE. — Merci, mon petit, ce n'est pas la peine, ça va aller mieux... *(geignant)* tout à l'heure...

HENRI, *criant.* — Taisez-vous! Ce que vous dites, ils l'ont déjà dit, je l'ai déjà entendu! Jusqu'au dernier mot!

BERNE *(il se tourne vers l'Adjoint et se remet à geindre).* — Qu'est-ce qu'il raconte? Tu comprends, toi, ce qu'il raconte? *(A Mathilde.)* Alors, cette tisane, ma petite fille, ça vient?

> *Mathilde accourt avec une tasse, Berne se redresse sur son lit.*

A la bonne heure!

HENRI, *hurlant.* — Assez!

> *Henri se précipite sur Berne qu'il étrangle. Berne s'écroule en gémissant. Mathilde pousse un cri et laisse tomber la tasse qui se brise avec bruit. L'Adjoint se sauve à droite en agitant comiquement les bras.*

Rideau.

LES RETROUVAILLES

DISTRIBUTION

Edgar.
Louise.
La Plus Heureuse des Femmes. ⎱ Même actrice.
La Mère. ⎰

Un restaurant. A droite, des chaises empilées les unes sur les autres. Au fond, à gauche, un pan de mur.

A l'avant-scène, assises à une table, Louise — jeune fille blonde, robe imprimée — et la plus Heureuse des Femmes — une quarantaine d'années, petit tailleur étriqué. Debout à côté de la table, Edgar, jeune homme grand, maigre, fébrile, maladroit. Il porte un costume sombre (nœud papillon).

EDGAR. – Non, j'ai encore le temps. *(Il s'assied entre Louise et la plus Heureuse des Femmes. Celle-ci prend un ouvrage de couture, Louise s'accoude à la table, le menton appuyé sur la main.)* Je déteste arriver trop tôt. Être assis dans un wagon qui ne bouge pas, je trouve cela insupportable. Évidemment, on peut prier une personne obligeante de garder votre place, et aller faire un tour sur le quai. Mais j'hésite à demander un service à des gens que je ne connais pas. Vous me direz que ce service-là... *(geste évasif)* mais si la personne en question veut, à son tour, marcher un peu; si elle aussi supporte mal la chaleur et le bruit? Quand je parle de bruit, je sais de quoi je parle! N'oubliez pas que les trains sont pleins d'enfants, bien avant l'heure du départ. Oh! je n'ai rien contre les enfants! Ce n'est pas leur faute si les parents, affolés à l'idée de n'avoir pas de place, viennent s'installer des heures à l'avance, et occupent des compartiments entiers, créant ainsi les pires embarras pour les usagers normaux, dont je suis.

LA PLUS HEUREUSE DES FEMMES. – Il est bien pratique, ce petit restaurant, et tellement moins cher que le buffet de la gare. Et puis, c'est ici que nous avons fait connaissance, Louise et moi. *(Louise et la plus Heureuse des Femmes ont un rire complice.)* Quel dommage qu'il ferme si tôt!

Louise, *s'animant soudain.* – Oui, les endroits publics ne devraient jamais fermer. On devrait pouvoir s'y amuser toute la nuit, jusqu'à tomber de sommeil. *(Montrant Edgar à la plus Heureuse des Femmes.)* Je suis sûre que Monsieur est de mon avis.

Edgar. – Absolument.

Louise. – Êtes-vous vraiment obligé de nous quitter? Je voudrais tant que vous restiez! Madeleine aussi... n'est-ce pas, Madeleine?

La plus Heureuse des Femmes. – Mais Monsieur a peut-être des obligations...

Louise, *riant.* – Ne peut-on pas, un jour, décider qu'on n'en a aucune?

La plus Heureuse des Femmes, *montrant Louise.* – Ne l'écoutez pas, vous vous laisseriez tenter.

Louise rit.

Edgar. – En tout cas, j'ai une bonne demi-heure. *(Pause.)* Si je devais aller à la gare par le tram, je serais moins tranquille. Ils passent si irrégulièrement...

Louise. – ...que l'on ne peut pas s'y fier.

La plus Heureuse des Femmes. – Sans parler des accidents, toujours possibles!

Edgar. – Quoi qu'il en soit, j'ai décidé de me rendre à la gare par mes propres moyens. Ma valise n'est pas lourde...

Louise. – Vous n'emportez pas vos livres?

Edgar. – Non, justement, je ne les emporte pas.

La plus Heureuse des Femmes. – Naturellement, quand on peut éviter les moyens de communication, la question ne se pose pas. *(Elle rit, Louise lui entoure les épaules de ses bras.)* Et puis j'adore marcher.

Louise, *à Edgar.* – Nous nous promenons souvent, Madeleine et moi, au bord de l'eau... Nous marchons vite, mais sans doute pas assez, car il y a toujours des messieurs qui nous suivent. C'est ennuyeux. *(Riant.)* Cela dépend des messieurs, bien sûr; mais les plus intéressants sont justement les plus timides, et ils n'osent pas vous aborder comme ça, en pleine rue.

(Riant.) C'est à peine s'ils vous parlent quand vous leur avez été présentée.

La plus Heureuse des Femmes. — Malheureusement, nous ne faisons pas tout ce que nous voulons. Nous avons notre travail. Louise est secrétaire, et moi... *(montrant son ouvrage)* vous voyez!

Louise, *à Edgar.* — En somme, vous partez pour très peu de temps.

Edgar. — Oui, mais...

Louise. — Mais cela va de soi, puisque vous n'emportez pas vos livres. *(Pause.)* A votre retour, faites-nous signe.

La plus Heureuse des Femmes. — Ça nous fera tellement plaisir.

Edgar. — Ne craignez rien, je reviendrai. *(Riant.)* Je ne suis pas assez bête pour m'enterrer définitivement dans ce sale trou. Et puis, de toute manière, j'ai mes examens à préparer.

La plus Heureuse des Femmes. — Vos parents habitent une très petite ville?

Edgar. — Une petite ville? Même pas; un village *(enflant comiquement la voix)* à la frontière belge. Quevy, ça vous dit quelque chose?

La plus Heureuse des Femmes. — Et on veut que vous restiez à Quevy? Mais ce n'est pas raisonnable. Il faut bien que vous trouviez une situation.

Edgar. — Oh! la situation est toute trouvée. Comptable à Quevy! *(Il se lève, et en même temps tire de sa poche plusieurs lettres d'un très grand format, et très volumineuses.)* Elle a tout arrangé!

La plus Heureuse des Femmes, *levant le petit doigt.* — Je parie que vous parlez de votre maman.

Edgar, *marchant de long en large.* — D'elle, rien ne m'étonne. Mais que Lina lui donne raison, qu'elle surenchérisse même, et qu'elle envisage tranquillement de voir mon avenir compromis, cela *(pivotant sur ses talons)* je ne peux pas le comprendre.

Il se rassied.

Louise, *regardant l'heure à son poignet.* — Vous avez manqué votre train.

Edgar, *sursautant.* — Mais quelle heure est-il?

Louise, *en montrant son poignet.* – Voyez... et je retarderais plutôt.

Edgar. – Je ne comprends pas. Il n'y a pourtant pas une demi-heure...

La plus Heureuse des Femmes. – C'est toujours comme ça; on parle, on parle, et on ne se rend pas compte que le temps passe.

Edgar, *se levant.* – Bah! ce n'est pas si grave. Je prendrai le train du matin, voilà tout. Dans un sens, c'est même préférable. *(Il marche.)* Rien d'aussi fatigant que ces voyages de nuit. D'abord, on ne peut pas dormir. A peine a-t-on trouvé le moyen d'appuyer sa tête quelque part, que déjà on sursaute, parce que le train s'arrête, parce qu'il va plus vite, parce qu'il va moins vite... Et si, malgré tout cela, on s'endort, alors... c'est encore pis! Quel réveil! On ne sait plus où on est...

La plus Heureuse des Femmes. – Votre fiancée s'entend bien avec votre maman?

Edgar. – Pas très bien, à en juger d'après ses lettres. *(Pause.)* Et si vous saviez pourquoi! Pour des peccadilles... Par exemple, ma mère ne supporte pas que l'on tape sur un piano toute la sainte journée.

Louise, *riant.* – Et votre fiancée tape sur un piano toute la sainte journée?

Edgar. – A peu près. *(Pause.)* J'oubliais de vous dire que Lina se destinait au Conservatoire.

La plus Heureuse des Femmes. – C'est bien là une idée de jeune fille!

Edgar. – Oui, ça n'a l'air de rien, mais c'est assez agaçant, quand tout est dit.

Louise, *riant.* – Alors, dites-nous tout, et nous vous plaindrons.

Edgar. – Je ne voudrais pas vous ennuyer.

Louise. – Mais vous ne nous ennuyez pas.

La plus Heureuse des Femmes. – Au contraire.

> *Edgar se rassied et se tourne vers Louise; ce faisant, il laisse tomber une des lettres qu'il tient à la main.*

Edgar. – Dans ce cas, Mademoiselle, permettez-moi de vous poser une question. *(Il rapproche sa chaise de celle de Louise.)* Si vous aimiez un jeune homme, si vous l'aimiez vraiment, accepteriez-vous que, pour vous, il renonçât à toutes ses ambitions, à toutes ses aspirations ? Ne dites pas « oui », je ne vous croirais pas.

Louise, *riant.* – Mais je n'ai jamais rien dit de pareil. Un homme sans ambitions, c'est une chiffe molle, et je n'aime pas les chiffes molles; par conséquent... Je suis logique, moi !

Edgar, *poursuivant.* – A plus forte raison, vous n'empêcheriez pas cet homme que vous aimeriez de vous quitter pour un an, deux ans même, si, pendant ces deux ans, il n'avait d'autre but que d'assurer votre avenir, de rendre plus agréable votre vie commune. *(Pause.)* Seulement, voilà : pour Lina, le mot « provisoire » n'a pas de sens. Quand elle se trouve dans une situation donnée, elle est incapable d'imaginer qu'une autre pourra, que dis-je, devra lui succéder...

Louise, *à la plus Heureuse des Femmes.* – J'aime tant l'entendre parler !

Edgar. – C'est gentil à vous... mais je tiens aussi à ce que vous compreniez de quoi je parle.

Louise. – L'un n'empêche pas l'autre.

Edgar. – Ne trouvez-vous pas que Lina, du seul fait qu'elle se plaint de vivre avec ma mère, prouve qu'elle ne m'aime pas, et qu'elle ne m'a jamais aimé ?

Louise. – Vous exagérez.

Edgar, *poursuivant.* – D'autant plus que je ne lui ai rien imposé !

Louise. – Je ne comprends pas. Elle devrait au contraire être bien contente, Lina. Pouvoir parler de vous chaque fois qu'elle en a envie !

Edgar. – Après tout, elle a choisi. *(Se levant.)* Elle n'avait qu'à suivre mes conseils, qu'à attendre tranquillement la fin de mes études. Non, il a fallu qu'elle précipite tout, sans se soucier...

La plus Heureuse des Femmes. – Des circonstances.

Edgar. – Est-ce ma faute, si elle s'est laissé attendrir, si elle a voulu jouer les garde-malades ?

La plus Heureuse des Femmes. – Ah ! C'est Mademoiselle Lina qui s'occupe de votre maman, qui lui fait ses courses.

EDGAR. – Les courses ne posent guère de problèmes. *(Riant.)* On a vite fait le tour de Quevy. Surtout Lina, avec sa bicyclette.

LA PLUS HEUREUSE DES FEMMES. – Votre maman est souffrante?

EDGAR. – C'est beaucoup dire. Elle se croit souffrante, plutôt.

LOUISE, *riant.* – Et Lina le croit aussi?

EDGAR. – Lina croit bien des choses.

LOUISE. – Par exemple?

EDGAR. – Par exemple, elle est persuadée que tout le monde se ligue contre elle pour l'empêcher de faire ce qu'elle veut *(riant)*, de se réaliser, comme elle dit.

LOUISE. – Qu'est-ce qu'elle entend par là?

EDGAR. – Mais rien, précisément, rien.

> *On entend quelques notes de piano. Edgar sursaute.*

LA PLUS HEUREUSE DES FEMMES. – Chut! Écoutez... Elle joue si bien, Andrée! *(Pause.)* C'est la fille du restaurateur.

LOUISE, *à la plus Heureuse des Femmes.* – Mais il n'a peut-être pas envie d'écouter de la musique.

EDGAR, *aux deux femmes.* – Puis-je vous parler en toute franchise? *(Pause.)* Eh bien, d'une manière générale, je n'aime pas la musique. C'est un art suspect, qui s'adresse au cœur, aux nerfs, et jamais à l'esprit. *(Il marche.)* Et puis j'en ai assez. Qu'est-ce qu'elles me veulent, à la fin? Un homme de mon âge est libre d'agir à sa guise, il me semble. *(Pause.)* Est-ce ma faute si la meilleure Faculté de Droit se trouve à Montpellier? *(Pause.)* Elles prétendent que le climat méditerranéen incline à la paresse. Quelle bêtise! C'est très simple : ici, je travaille, et à Quevy, *(se tournant vers Louise)* savez-vous ce que je fais? Je dors.

LOUISE, *riant.* – Ce n'est pas gentil pour votre fiancée.

EDGAR. – Or, quand on a un examen à la rentrée, il vaut mieux ne pas dormir pendant toute la durée des vacances.

LA PLUS HEUREUSE DES FEMMES. – Vous devez repasser vos examens?

EDGAR. – Repasser ? non. Je ne me suis pas présenté en juin. Pour cause de maladie.

LA PLUS HEUREUSE DES FEMMES. – C'est dur, de travailler avec les grandes chaleurs.

EDGAR. – Le tout est d'avoir une chambre personnelle, de ne pas être continuellement dérangé par des allées et venues. Sans même parler du ménage ! *(Pause.)* Enfin, si je retourne là-bas, il me faudra guerroyer du matin au soir, pour leur faire admettre que je dois à tout prix achever mon Droit. Je ne vais tout de même pas m'interrompre, au point où j'en suis. *(Soupirant.)* Et elles parlent d'argent ; mais je ne leur en demande pas... ou si peu ! *(Pause.)* Ça m'est égal, je me débrouillerai tout seul.

LOUISE. – Et elles sont d'accord, toutes les deux, pour vous rendre la vie si difficile ?

EDGAR. – D'accord ? Je pense bien. Il suffit de lire les lettres qu'elles m'écrivent. *(Brandissant les lettres.)* Je dis les lettres, mais pour parler français, je devrais dire les livres... Regardez ! Est-il permis de noircir tous les jours une telle surface de papier ? N'est-ce pas un peu abusif, à la longue ? *(Pause.)* Mais c'est fini, bien fini, je ne me laisserai plus intimider, et pour commencer...

> *Edgar déchire ses lettres et les jette. La plus Heureuse des Femmes hoche la tête, Louise rit gentiment.*

Et si vous saviez tous les prétextes que Lina peut inventer pour m'obliger à revenir... *(Riant.)* Dans sa dernière lettre encore...

> *Louise se lève, s'approche d'Edgar, le regarde attentivement et éclate de rire.*

LOUISE, *riant.* – Mais vous n'avez pas de chaussettes !

LA PLUS HEUREUSE DES FEMMES, *riant.* – Il était si pressé de venir nous voir !

> *La lumière baisse. Louise sort en riant. Edgar reste un moment interdit puis ramasse les feuilles déchirées éparpillées à terre, et sur lesquelles, à genoux, il commence à griffonner. La plus Heureuse des Femmes sort pour revenir aussitôt*

portant une petite machine à coudre qu'elle ins-
talle sur la table. Elle s'assied à une certaine
distance de la machine et reprend l'ouvrage
qu'elle avait déjà au restaurant. Edgar enlève
son nœud papillon, le met dans la poche de sa
veste, puis retire sa veste, et la jette; après quoi,
il ramasse ses feuilles, en fait un tas qu'il dé-
pose vers le fond de la scène, et apporte l'une
d'elles à la plus Heureuse des Femmes qui la
prend. Edgar se tient maintenant devant la plus
Heureuse des Femmes comme un élève récitant
sa leçon.

Mais non... ça va très bien. Vous exigez beaucoup
trop de vous-même. *(Pause.)* Vous ne pouvez pas tout
savoir par cœur. Le sens y était, c'est le principal.

Edgar. – Vous ne me convaincrez pas. *(Pause.)* Il
faut bien reconnaître ce qui est. Je suis... particulièrement abruti depuis quelques jours. Abruti et fatigué. *(Il marche.)* Si encore je prenais de l'exercice, si
je me dépensais... physiquement, je comprendrais.
Seulement, ce n'est pas le cas. *(Pause.)* Voilà deux
jours que je n'ai pas mis le nez dehors; je me demande
pourquoi, du reste.

La plus Heureuse des Femmes. – Mais à cause de
votre travail.

Edgar. – Quand je pense que ces deux jours, je les
ai passés à classer mes papiers. Évidemment, il le fallait. On ne peut pas travailler éternellement dans le
désordre, l'incurie. Cela finit par influer sur la qualité
du travail.

La plus Heureuse des Femmes. – Vous vous sentez
un peu à l'étroit ici, bien sûr. Mais ce n'est pas de ma
faute! Je fais tout ce que je peux...

Edgar. – Pour que je ne m'y retrouve pas! Ça oui!
(S'arrêtant brusquement devant la plus Heureuse des Femmes.)
Avouez que vous avez de nouveau... *(criant)* tripa-
touillé dans mes papiers! *(La plus Heureuse des Femmes*
courbe peureusement le dos.) Inutile de vous cacher la
tête comme une autruche. Si vous ne me voyez pas,
moi, je vous vois. Et je vois surtout le résultat de votre...
ménage!

La plus Heureuse des Femmes. – Je vous assure
que je n'ai touché à rien. Je ne me permettrais pas...

Edgar. – Cette manie qu'ont les femmes de toujours vouloir faire de l'ordre! Parce qu'elles n'en ont
pas dans la tête!

La plus Heureuse des Femmes. – Ne vous éner-
vez pas! Je sais, on étouffe ici. *(Pause.)* Si on ouvrait
la fenêtre?

Elle se lève, Edgar la pousse et la rassied.

Edgar. – Vous n'allez pas me parler à votre tour
des beaux étés de Montpellier! Le moment est plutôt
mal choisi! Vous ne sortez donc jamais? Vous ne
voyez pas ce qui se passe dehors? *(Il fait quelques pas,
puis s'agenouillant devant ses papiers.)* Je... je ne m'y retrouve plus!

La plus Heureuse des Femmes. – Voulez-vous que
je vous aide?

Elle se lève.

Edgar, *bondissant sur la plus Heureuse des Femmes.* –
Vous n'allez pas... recommencer! *(Il la rassied brutalement.)* Je ne veux plus voir bouger, que dis-je, tour-
billonner dans cette chambre, quand je travaille.
Vous entendez? *(La plus Heureuse des Femmes se protège
le visage comme un enfant qui craint d'être battu.)* Et puis, je
ne demande d'aide à personne, ce n'est pas mon genre.
(Pause.) Le résultat de toute cette histoire, c'est que
je vais être en retard.

Il revient à ses papiers qu'il range hâtivement.

La plus Heureuse des Femmes, *rassérénée.* – Ah!
vous avez rendez-vous avec Louise. Je suis contente
que vous vous intéressiez à elle. *(Pause.)* Elle est courageuse, Louise. Imaginez-vous qu'après ses heures de
bureau, elle trouve encore le moyen de bouquiner,
de s'instruire! Une fille qui a du cran, il n'y a pas à
dire. Et dévouée avec ça! Quand elle aime bien quelqu'un, elle ne l'abandonne jamais. *(Montrant son ouvrage.)* Tenez, cette petite blouse, c'est grâce à elle
qu'on me l'a commandée. *(Changeant de ton, soudain*

dure.) Entre nous, elle me doit bien ça, après ce que je fais pour elle.

> *Edgar, brusquement intéressé, s'approche de la plus Heureuse des Femmes.*

Je lui ai procuré un petit logement. *(Riant.)* Et devinez où? Ici même; oh, pas chez nous, bien sûr! Sous les toits! Une chambre de bonne!

EDGAR. — Alors, avec toutes vos relations, vous n'êtes même pas capable de trouver mieux? Je sais que la crise du logement est loin d'être terminée, et que bien des gens se contenteraient d'une mansarde. Mais en cherchant bien, tout de même, on devrait pouvoir...

LA PLUS HEUREUSE DES FEMMES. — Bon, voilà que vous me faites des reproches, alors que c'est en pensant à vous que j'ai tout arrangé. Comme ça, Louise et vous, vous pourrez vous rencontrer quand vous voudrez, comme vous voudrez. *(Pause.)* Ça me fait trop de peine de vous voir toujours en route *(riant)* comme vous êtes.

EDGAR. — Vous voulez dire : comme je devrais être.

> *Il ramasse sa veste, l'enfile et s'apprête à sortir.*

LA PLUS HEUREUSE DES FEMMES. — Vous avez sans doute rendez-vous à la sortie de son bureau.

EDGAR. — Naturellement.

LA PLUS HEUREUSE DES FEMMES. — Dans ce cas, je vous accompagne, c'est mon chemin. *(Mettant le dernier point à son ouvrage.)* Ouf! *(Se levant.)* Si je ne livre pas mon travail aussitôt terminé, je n'ai pas la conscience tranquille. *(Pause.)* C'est idiot, je n'ai rien pour l'envelopper! *(Elle cherche des yeux autour d'elle, puis se baisse et ramasse la grande feuille à moitié déchirée qu'au début de la scène elle tenait à la main, et qui, entre temps, est tombée à terre.)* Ça ne suffira pas! *(Autoritaire.)* Il m'en faut d'autres. Vous voyez bien!

> *Edgar tout naturellement va chercher plusieurs de ses feuilles et vient les apporter à la plus Heureuse des Femmes.*

La plus Heureuse des Femmes, *commençant à faire son paquet.* – Le paresseux, qui reste à me regarder! *(Edgar, docilement, aide la plus Heureuse des Femmes à envelopper sa blouse.)* Aidez-moi, qu'est-ce que vous attendez?

> *La lumière baisse. Un pan de mur vient cacher la machine à coudre. La plus Heureuse des Femmes sort à gauche avec son paquet, Edgar reste un moment désemparé, les bras ballants. Entre à droite Louise, tenant d'une main une bicyclette par le guidon et de l'autre un petit paquet. Elle appuie la bicyclette contre le mur du fond, puis, aussitôt, dépose son paquet dans les mains d'Edgar qui le prend machinalement et ne sait qu'en faire. La lumière remonte.*

Louise. – Devine ce que je t'apporte. *(Pause.)* Tu ne devines pas?

Edgar. – Ma foi non.

Louise. – Alors, défais le paquet. *(Edgar essaie maladroitement de défaire le paquet.)* Il n'est pas permis d'être aussi maladroit. *(Pause.)* Donne-moi ça. *(Elle prend le paquet des mains d'Edgar, le défait et en sort une nappe.)* Regarde, je l'ai achetée au « Petit Monde ». *(Dépliant la nappe.)* Elle est jolie, tu ne trouves pas? Seulement, il nous en faudra d'autres. Je n'ai pas envie de faire la lessive tous les soirs.

Edgar. – Je ne veux pas te faire de peine, Louise, mais c'est agir un peu à la légère que de dépenser tes derniers sous en achats, qui, si nécessaires soient-ils, peuvent très bien attendre. D'ici à ce que nous soyons installés!

Louise, *frappant du pied.* – J'en étais sûre!

Edgar. – Tu me diras que cela t'amuse d'agir à la légère. C'est possible. Mais si tu veux prouver par là que tu n'es pas une petite bourgeoise, tu perds ton temps. Un peu de logique, je t'en prie! Regarde autour de toi, observe, au besoin rappelle-toi les romans que tu as lus, et tu seras bien obligée de convenir que la femme imprévoyante par excellence, c'est la petite bourgeoise. Et même si l'on baptise audace l'imprévoyance...

LOUISE. – En somme, tu te trouves bien chez Madeleine, et tu n'as aucune envie de déménager. Eh bien, moi, j'en ai envie. Il est vrai que nous ne sommes pas logés à la même enseigne. *(Edgar hausse les épaules, Louise s'approche gentiment de lui.)* Tu m'avais pourtant promis qu'on habiterait ensemble, tous les deux, sans personne. Rien ne nous en empêche maintenant, puisque je t'ai trouvé un travail à la papeterie. Mais tu n'en parles même plus, de ce travail. *(Pause.)* Tu as tort de faire le difficile. Un poste de livreur à mi-temps, ce n'est pas si mal, après tout! Tu gagnes de l'argent et tu peux poursuivre tes études. *(Lui entourant les épaules de ses bras.)* Et puisque ce sera provisoire!

EDGAR, *se dégageant et faisant un bond de côté.* – Provisoire! On dit ça, on se le redit de temps à autre, mais les jours passent... et on se fait tant bien que mal à la situation. Résultat : on ne prend plus aucune mesure pour en sortir, et on végète... *(criant)* éternellement. *(Pause.)* Voilà pourquoi j'hésite à accepter cet emploi.

LOUISE, *toujours la nappe à la main.* – Mais il ne te prendra que la moitié de ton temps!

EDGAR, *se mettant à marcher.* – Encore un raisonnement de femme! Toutes les mêmes! Ah! ce n'est pas la subtilité qui vous étouffe, vous autres. *(S'arrêtant, face à Louise.)* Essaie donc de distinguer les choses. Il ne s'agit pas du temps matériel — que l'on trouve toujours, pour peu que l'on sache... s'organiser — mais du temps *(enflant la voix)* psychique! *(Pause.)* Comment veux-tu que, la tête encore pleine des bruits de la rue et de bavardages imbéciles, je me mette à un travail continu, sérieux, qui exige un recueillement... total!

LOUISE, *pleurant.* – Dis-moi la vérité! Tu as changé d'idée? Tu veux... retourner à Quevy et... revoir Lina? C'est ça?

Elle laisse tomber la nappe.

EDGAR. – Où vas-tu chercher des idées pareilles? Tu sais bien que tout est fini entre Lina et moi, et ce ne sont pas ses récriminations et ses... pressentiments qui modifieront une décision pesée et mûrie.

LOUISE, *rassurée*. – Elle a été très malheureuse en apprenant que tu la quittais ?

EDGAR, *feignant la désinvolture*. – Elle ne le sait pas... Je n'ai pas encore écrit. *(Il marche.)* Tu comprends, c'est délicat d'expliquer clairement ce qui m'arrive, et si on ne s'explique pas clairement, à quoi bon ? *(Pause.)* Certes, je pourrais ne pas attaquer de front, procéder par allusions, par touches successives, éviter le sujet tout en laissant filtrer par-ci par-là... Mais ce sont des prouesses littéraires auxquelles je répugne. Du reste, m'y déciderais-je qu'elles ne se laisseraient pas, pour autant, convaincre. Je les connais ! *(S'arrêtant.)* Et... pourquoi leur faire prématurément de la peine ? Tu me rétorqueras qu'un jour ou l'autre, je devrai en passer par là. Peut-être, mais ce n'est pas dit. Les choses tournent parfois si... curieusement.

LOUISE. – Eh bien, moi, si j'étais à la place de Lina...

EDGAR, *riant*. – A la place ! Qu'est-ce que cela signifie ? Pourquoi, je me le demande, les gens usent-ils toujours d'expressions toutes faites et, par conséquent, dénuées de sens ? On n'est pas à la place d'un autre, on est à la sienne, on est ce qu'on est, ni plus ni moins !

> *Dès les premières paroles d'Edgar, Louise, impatientée, est allée vers la bicyclette, l'a prise, et, un pied sur la pédale, a fait lentement un tour à gauche de la scène. Edgar n'a pas remarqué son manège et a poursuivi son discours. Une fois celui-ci fini, il s'appuie, exténué, contre le mur. Louise, toujours un pied sur la pédale, revient vers lui.*

LOUISE. – Tu vois, je t'ai apporté mon vélo. *(Pause.)* Pour les livraisons. Tu ne vas tout de même pas en louer un, ce serait trop bête ! Pourquoi gaspiller de l'argent si celui-là fait l'affaire ?

EDGAR, *absent*. – Voyons un peu.

LOUISE. – C'est une bicyclette de fille, forcément ! *(Elle rit.)* Remarque, j'aime autant ça.

EDGAR. – Je me demande bien pourquoi...

LOUISE. – Parce que si tu tombes, tu ne te feras pas mal. Ce qui est dangereux, c'est la barre. *(Posant une main sur l'épaule d'Edgar, sans lâcher la bicyclette.)* Promets-moi d'être prudent.

EDGAR, *riant.* — Ne t'inquiète pas. Aussi loin que mes souvenirs me portent, j'ai toujours su me servir d'un vélo.

> *Il prend le vélo, et monte dessus tout en gardant un pied à terre.*

LOUISE, *riant.* — Bien sûr, la selle est trop basse, mais on peut la monter. *(Edgar descend de la bicyclette.)* Attends, je vais te donner les outils. Tu le tiens ?

> *Edgar tient la bicyclette. Louise ouvre une sacoche et en tire des outils qu'elle tend à Edgar. Edgar essaie de monter la selle mais n'y parvient pas.*

LOUISE, *riant.* — C'est si difficile ?

EDGAR. — En effet, je ne suis pas un mécanicien compétent. Mais je ne vois pas ce que cette incompétence a de ridicule. Autant demander à... à un garagiste de réciter d'un seul trait tous les articles du droit romain. Chacun sa partie ! *(Agité, secouant la bicyclette qu'il a gardée à la main.)* Je ne dis pas qu'à d'autres époques, à la Renaissance par exemple, il ne se soit pas trouvé des hommes d'une culture, d'une éducation si générales que tout leur était possible et même facile, des hommes... universels, comme on les appelle ! Mais à quoi bon pleurer des époques disparues ! Soyons de notre temps.

LOUISE, *riant.* — Ne te fâche pas. Je vais le faire. *(Edgar lui tend les outils, elle les prend et monte la selle sans difficulté.)* Qu'est-ce que tu attends ? Monte ! *(Edgar monte sur la bicyclette en gardant toujours un pied à terre.)* Tu es grand à présent.

EDGAR. — Oui.

> *Louise embrasse la main d'Edgar qui perd l'équilibre et tombe. Louise, riant légèrement, relève la bicyclette et, la tenant par le guidon, sort à droite.*
>
> *La plus Heureuse des Femmes entre à gauche portant deux chaises. Tandis qu'Edgar se relève, penaud, la plus Heureuse des Femmes,*

> *maintenant à quelques pas de lui, l'observe en riant.*

> *La lumière baisse. Le pan de mur découvre la machine à coudre. Edgar se précipite vers la plus Heureuse des Femmes, lui prend les chaises des mains et les dispose face à face. La plus Heureuse des Femmes s'allonge péniblement sur les deux chaises. Edgar ramasse la nappe restée à terre et en couvre soigneusement les genoux de la plus Heureuse des Femmes. Après quoi, il prend sur la machine un ouvrage de couture et, s'installant aux pieds de la plus Heureuse des Femmes, se met à coudre. La lumière remonte.*

LA PLUS HEUREUSE DES FEMMES, *tandis qu'Edgar, cousant, pousse de profonds soupirs.* – Eh bien, croyez-moi si vous voulez, mais je me trouve très heureuse! On me soigne, on me dorlote, c'est merveilleux. Seulement j'ai des remords. Que de temps je vous fais perdre! Aller livrer nos petites blouses, quand vous avez tant de choses à faire... Si encore c'était grave; mais ces petits points blancs dans la gorge! *(Elle rit.)* Ils s'en iront, comme ils sont venus.

EDGAR, *relevant la tête.* – Est-ce que je me plains? Est-ce que je vous fais même sentir une réprobation quelconque, par mon silence... ou mes soupirs? *(La plus Heureuse des Femmes rit légèrement.)* Livrer les blouses, ou pédaler toute la journée pour passer les commandes de la... *(méprisant)* papeterie, quelle différence?

LA PLUS HEUREUSE DES FEMMES. – Oui, vous vous fatiguez trop, ces temps-ci. Tous ces tracas supplémentaires, sans parler des projets! *(Elle gémit, puis, toujours gémissant, montre vaguement son dos, ses côtes.)* J'ai mal partout. Il me faudrait...

> *Edgar, agacé, se lève, va chercher une compresse, et la met autour du cou de la plus Heureuse des Femmes. Après quoi, il se rassied, et se met à coudre.*

Pauvre petit! Ce n'est pas une vie qu'on vous fait mener, toutes les deux. *(Pause.)* Il ne faut pas en vouloir à Louise. Elle est jeune, Louise; elle ne peut pas comprendre qu'un garçon de votre valeur ne devient pas livreur comme ça, du jour au lendemain. *(Pause.)* Elle, c'est différent; elle peut prendre au sérieux ses attributions de secrétaire.

EDGAR. — Je dirais même qu'elle les prend un peu trop au sérieux.

LA PLUS HEUREUSE DES FEMMES. — Chacun ses idées. Pour Louise, le secrétariat, c'est un art!

EDGAR. — Un art mineur!

LA PLUS HEUREUSE DES FEMMES. — Tout de même, elle exagère. Ainsi, en ce moment, au lieu d'être avec nous, de me soigner, je suis sûre qu'elle s'attarde au bureau. Elle fait des heures supplémentaires! Pour le plaisir, car on ne la paye pas davantage. *(Pause.)* Pourvu qu'elle passe à la pharmacie. Autrement, ce sera encore une corvée pour vous. Ah! elle ne vous facilite pas les choses!

EDGAR, *furieux*. — J'ai déjà eu l'occasion de le constater, à maintes reprises.

> *La plus Heureuse des Femmes gémit, se tourne, et fait tomber la nappe. Edgar se lève et remet précautionneusement la nappe sur les jambes de la plus Heureuse des Femmes.*

LA PLUS HEUREUSE DES FEMMES. — Et le tapage qu'elle fait, la nuit, avec sa machine! Pour se délier les doigts *(riant)*, pour se perfectionner! Elle empêche tous les voisins de dormir. Je m'étonne qu'ils n'aient pas encore porté plainte. *(Pause.)* Je devrais la mettre à la porte.

EDGAR. — Vous n'allez pas...

LA PLUS HEUREUSE DES FEMMES. — Mais non... Il reste que Louise en prend à son aise. Faire un bruit pareil, quand il y a un enfant sur le palier... Jeannot! le petit de la bonne du rez-de-chaussée! *(Pause.)* Pauvre Jeannot! Réveillé en sursaut, toutes les nuits! *(Riant.)* Il est vrai qu'il ne se gêne pas pour montrer son mécontentement. Ce qu'il peut pleurer, tempêter! *(Pause.)* C'est très ennuyeux pour tout le monde, et surtout pour vous qui avez l'habitude de travailler tard. *(Pause.)* Ça ne vous dérange pas trop?

EDGAR, *se levant, son ouvrage à la main.* – Évidemment, ça me dérange; ça fait même plus que me déranger... Le bruit de la machine, passe encore, on s'y accoutume, à la longue; mais le reste! *(Il marche et tout en marchant, coud avec frénésie.)* Le gouvernement est extraordinaire! Il prétend se pencher sur les problèmes de l'enfance, de la population. Et quels progrès réalise-t-il? Aucun. Quand je pense qu'on n'a pas encore eu l'idée de retirer une fois pour toutes aux parents le soin de leur progéniture! J'ignore ce que les parents penseraient d'une telle mesure, mais les enfants auraient tout à y gagner. *(Pause.)* La présence perpétuelle de la mère provoque chez l'enfant un... amollissement désastreux. Rien de tel pour entraver son évolution, pour l'empêcher de devenir un homme parmi les hommes.

> *La plus Heureuse des Femmes se lève sans aucune peine, et rejoint Edgar. Elle lui caresse les cheveux, il se laisse faire. Puis la plus Heureuse des Femmes sort à gauche, très gaillardement. Edgar fait quelques pas, pose son ouvrage sur la machine à coudre, puis s'allonge à moitié sur le sol, et trie vaguement ses papiers.*
>
> *Entre à droite Louise, vêtue d'une petite robe d'été, pieds nus, ses souliers à la main. Elle cherche des yeux Edgar, puis s'approche doucement.*

EDGAR *(il sursaute et crie)*. – Voleuse!

LOUISE. – C'est gentil! Je viens te surprendre, et voilà comment tu me reçois. *(Pause.)* Tu en trouveras des petites amies comme moi, qui pardonnent tout! *(Pause.)* Je pourrais t'en vouloir, tu sais. On t'attend toujours à la papeterie; et moi, au lieu de te faire des reproches, je viens gentiment et je te joue des tours...

EDGAR, *l'interrompant.* – Qu'est-ce que tu cherchais?

LOUISE, *riant.* – Mais, mon fiancé! Qui veux-tu que je cherche? *(Elle prend sur la machine à coudre le « nécessaire » de la plus Heureuse des Femmes; le pan de mur vient cacher la machine à coudre.)* Pourquoi me regardes-tu avec des yeux pareils? J'ai bien le droit de me servir de ses aiguilles. Elle n'en mourra pas, je ne suis pas galeuse! *(Pause.)* J'ai perdu un bouton, il faut que je le recouse. *(Elle essaye de coudre, de la main gauche, un bouton à sa manche droite.)* Je ne veux pas être incorrecte au bureau, et qu'on me fasse des observations. Si déjà on travaille quelque part... *(S'interrompant brusquement.)* Tu ne m'écoutes pas. Tu dors?

EDGAR, *qui s'était vaguement assoupi, ramenant vivement ses papiers vers lui, et se mettant à genoux).* – Je dors? Elle est bien bonne! Mais regarde, regarde un peu... Parfaitement, je travaille! Je dis toujours la même chose, oui; mais c'est que, chaque fois que tu viens me voir, je travaille; et pourquoi? Parce que je travaille toujours. *(Pause. Louise essaie toujours de coudre.)* Tu crois peut-être que j'ai là tous mes papiers, au complet? Eh bien, tu te trompes. La preuve!

> *Il se lève, et sort de ses poches des papiers;*
> *mais ce sont des feuilles et des enveloppes*
> *déchirées. A peine les a-t-il jetées à ses pieds,*
> *qu'il s'arrête, un peu embarrassé. Louise rit.*

LOUISE. – Ne me fais pas rire, voyons, ce n'est déjà pas si commode. Aide-moi plutôt.

EDGAR. – T'aider? Je ne demande pas mieux. Tu me fais pitié! A quoi bon être... dactylographe, si on ne peut même pas se servir de ses doigts? Ah! la spécialisation! *(Louise rit.)* Ça t'étonne, que je sache coudre? Et pourquoi donc? Parle. Expose tes raisons. *(Louise rit toujours. Il lui arrache l'aiguille des mains.)* Allons, donne.

> *Le fil sort de l'aiguille. Louise rit.*
> *Edgar essaie d'enfiler à nouveau l'aiguille et*
> *s'énerve.*

LOUISE, *riant.* – Tu vois bien que tu n'y arrives pas. Appelle Madeleine à ton secours... Mais j'oubliais! *(Riant.)* Elle est souffrante. *(Edgar s'obstine toujours, sans résultat; puis il se pique le doigt, et pousse un petit cri.)* Attention, c'est dangereux!

> *Elle lui reprend le fil et l'aiguille.*
> *La lumière baisse. Un pan de mur s'écarte et*
> *découvre un piano. Edgar se laisse tomber sur*

une chaise. Louise remet ses souliers. La plus
Heureuse des Femmes entre, et essaie de repous-
ser Louise qui résiste. Louise pose la main sur
l'épaule d'Edgar. La lumière monte.

La plus Heureuse des Femmes, *écartant Louise.* —
Laissez-le dormir! Vous voyez bien la mine qu'il a.
(Elle rit.) Avouez que mon piano vous étonne : un
meuble pareil chez la pauvre Madeleine! Oh! il ne
m'appartient pas! C'est une amie qui me l'a confié
pour quelque temps. Elle ne savait pas où le mettre.
Les garde-meubles coûtent cher, et Madeleine a si
bon cœur!

> *Louise, qui s'impatiente, s'approche d'Edgar*
> *et veut lui poser la main sur l'épaule.*

Non. Pas vous! Moi! *(Elle pousse brutalement Louise*
qui tombe puis, se penchant sur Edgar.) Petit Edgar! Des
visites!

> *Edgar bouge. Louise, qui s'est relevée, s'ap-*
> *proche une fois de plus malgré la plus Heureuse*
> *des Femmes qui agite ses bras pour la chasser.*

Louise, *à Edgar.* — Tu as bien dormi?
Edgar, *se levant brusquement.* — Eh bien, oui, j'ai
dormi, et après? Tu ne dors jamais, toi, peut-être?
(Pause, puis d'une voix blanche, montrant le piano.) Qu'est-
ce que c'est?
La plus Heureuse des Femmes, *avec un rire à Louise,*
montrant Edgar. — Toujours étonné!

> *La plus Heureuse des Femmes sort. Le pan*
> *de mur vient cacher le piano. La lumière devient*
> *plus vive.*

Louise, *d'une voix très calme, très égale, qu'elle gardera*
jusqu'à la fin de la scène. — J'étais venue te dire...

> *Entre à droite la plus Heureuse des Femmes*
> *apportant la bicyclette de Louise. Louise s'in-*
> *terrompt.*

La plus Heureuse des Femmes. — Louise, je vous
apporte votre bicyclette. *(Elle la pose par terre.)* Vous

l'aviez laissée dans la rue, c'est très imprudent. Avec tous les vols qu'il y a!

Elle sort.

Louise. — J'étais venue te dire... que je pars pour deux ou trois jours.

Edgar. — Tu pars? Où donc?

Louise. — Pas loin, dans les environs.

Edgar. — Comment peux-tu t'absenter au beau milieu de la semaine? Tu n'es pas en vacances.

Louise. — Si, puisque j'ai perdu mon travail.

Edgar. — C'est bien ça! Sous prétexte que tu te trouves momentanément sans travail, tu te considères comme en vacances. *(Pause.)* Je sais, beaucoup de gens raisonnent de la sorte, mais ils ont tort.

Louise. — J'ai été congédiée, en partie par ta faute. On m'a reproché d'arriver trop souvent en retard et surtout de t'avoir recommandé. Il faut les comprendre. Je demande une place pour toi, je l'obtiens, et tu ne te présentes même pas. Oui, ils étaient furieux *(riant légèrement)* et, comme ils ne t'avaient toujours pas sous la main, c'est moi qui ai pris.

Edgar. — C'est vrai, je ne leur ai encore donné... aucun signe de vie. J'étais, et je suis toujours, littéralement surchargé de travail. Mais je n'oublie pas... J'ai même rédigé un brouillon. C'est te dire si je prends l'affaire au sérieux. Seulement, je ne peux pas leur signifier mon refus par un simple mot. Il faut que je leur explique... que je leur expose les circonstances. C'est la moindre des choses.

Louise. — Laissons cela, veux-tu. *(Pause.)* Tu m'as demandé où j'allais : chez Andrée, la fille du restaurateur. *(Pause.)* Elle a beaucoup insisté pour que je vienne *(riant tristement)* et que je voie sa petite fille. Elle avait l'air d'y tenir tellement! Alors, je me suis mise à sa place, j'ai accepté. Et comme je ne voulais pas arriver les mains vides...

Elle sort de son sac une brassière de bébé.
Pendant la dernière réplique de Louise, Edgar
s'est approché de la bicyclette, l'a relevée.

Edgar, *dressant la bicyclette sur une roue, et faisant tourner l'autre avec rage.* — Ça y est! Tu recommences à dire... n'importe quoi! *(Pause.)* Alors, tu t'es mise à sa place! Parce qu'elle t'a laissé entendre, un jour, entre autres choses, qu'elle serait contente de te voir, tu t'imagines maintenant qu'elle passe sa vie à t'attendre!

LOUISE. – Tu sais, elle a épousé Pierre. Ils n'ont qu'un petit pavillon, mais un très grand jardin, avec des plates-bandes de capucines. Le soir, ils sortent la table et ils mangent dehors. *(Pause.)* Je les aime bien tous les deux. *(Pause.)* Ils ont été si courageux. Se mettre en ménage quand on n'a pas de situation...

EDGAR, *toujours embarrassé de la bicyclette, s'emportant.* – Du courage, tes amis? Ils sont sans travail : beau titre de gloire! Ça prouve tout simplement qu'ils ont perdu le leur. Autrement dit, qu'ils se sont mis en faute.

LOUISE. – Je ne crois pas.

EDGAR. – Tant mieux pour eux si leurs parents trouvent leur conduite normale, et non seulement leur pardonnent, mais encore les installent dans... des pavillons!

LOUISE. – Ils ne voient plus leurs parents, ni l'un, ni l'autre. *(Pause.)* Andrée est devenue très belle. Maintenant, quand elle passe, tout le monde se retourne. *(Pause.)* Elle n'a pas toujours été comme ça. C'est drôle!

EDGAR, *brandissant la bicyclette.* – Ah! je t'y prends! Impossible de parler sérieusement avec toi. Dès que j'essaye de te faire comprendre quelque chose, aussitôt tu... tu te dérobes, tu détournes la conversation. C'est trop facile!

> *Il lâche la bicyclette qui tombe bruyamment.*

LOUISE. – Ne te fâche pas. *(Pause.)* Tu m'en veux peut-être parce que je pars, mais tu m'avais dit qu'à cause de tes examens, tu devrais travailler jour et nuit. Comme nous n'aurions pas eu le temps de nous voir, j'ai pensé... *(Pause.)* Tu es content de ton travail?

EDGAR, *faisant quelques pas.* – Content? Dans de telles conditions! *(S'arrêtant à l'avant-scène, à droite.)* Ah! si j'avais su comment se passeraient les choses... Si j'avais su prévoir les méthodes qu'on m'imposerait,

je n'aurais jamais essayé... je serais parti. *(Pause.)*
Comment peut-on retenir quoi que ce soit... quand on
n'a même pas le temps de... prendre des notes. On lit
une phrase au tableau noir, on veut la copier, déjà
elle n'y est plus, c'en est une autre ! Je sais bien qu'on
peut trouver un moyen... de noter très vite... un système d'abréviations... mais ensuite, comment se relire ?
Il faut une mémoire extraordinaire, et de la mémoire,
j'en ai, mais pas assez sans doute, puisque... je dois
bien reconnaître que... que je n'y arrive pas !

> *Dès le début de la réplique d'Edgar, Louise*
> *est allée à l'avant-scène, à gauche. Elle y est*
> *restée, immobile, pleurant doucement, la bras-*
> *sière à la main. A mesure qu'Edgar parle, la*
> *lumière vient de plus en plus sur Louise, laissant*
> *Edgar dans la pénombre. Quand Edgar se tait*
> *enfin, la scène entière devient presque obscure.*

> *Dès que la lumière baisse, entre à droite la*
> *plus Heureuse des Femmes, en manteau de*
> *voyage, deux chaises et un petit cabas à la*
> *main. Après avoir mis côte à côte les deux*
> *chaises et posé son cabas sur les chaises, comme*
> *pour réserver une place, elle s'approche d'Edgar*
> *et lui pose la main sur l'épaule.*
> *Louise, toujours pleurant, ramasse la bicy-*
> *clette et sort, tenant d'une main le guidon et de*
> *l'autre la brassière. La lumière monte.*

La plus Heureuse des Femmes. — Ne restez donc
pas comme ça dans le couloir *(riant);* vous êtes en
plein courant d'air. *(Pause.)* Venez, je vous ai gardé
une place.

> *La plus Heureuse des Femmes prend Edgar*
> *par la main, le fait asseoir, puis s'assied à côté*
> *de lui.*

Je me sens si bien ici. Un train, c'est une petite
maison qui bouge ! *(Enlevant son manteau qu'elle laisse*
sur le dossier de la chaise.) Quel beau temps ! Ça fait
quand même plaisir. Après un été pareil ! *(Edgar s'est*
vaguement assoupi.) Le vilain, qui n'a même pas remar-

qué ma nouvelle robe! Pourtant, je l'ai coupée et cousue, à côté de lui, en bavardant. *(Pause.)* On a parfois besoin de changer de toilette... de faire peau neuve. *(Une fermeture-éclair dans son dos s'est entrouverte. Elle essaie de la fermer sans résultat. Elle chatouille Edgar pour le réveiller. Edgar sursaute et rit. Alors, brutalement, lui montrant son dos.)* J'ai besoin de vous. *(Edgar obéit et ferme la robe.)* Je suis sûre que vous n'avez pas emporté de provisions. *(Riant.)* Et si je n'étais pas là? *(Pause.)* Ça donne faim, les voyages. *(Elle sort de son cabas un paquet qu'elle défait sur ses genoux. Apparaît un poulet découpé; elle commence à manger.)* Vous prendrez bien une aile de poulet.

Elle lui tend une aile.

EDGAR, *la prenant.* – Volontiers. Je... je n'ai pas l'habitude de manger en chemin de fer... Mais aujourd'hui, j'ai faim, si faim! A vrai dire, je ne comprends pas pourquoi.

LA PLUS HEUREUSE DES FEMMES, *riant.* – Mais parce que c'est l'heure. *(Elle jette un os par terre. Edgar se baisse, ramasse l'os et le suce, sans lâcher l'aile qu'il n'a pas terminée.)* Avouez que nous avons eu de la chance! Se rencontrer comme ça, sans rendez-vous, et faire route ensemble! *(Prenant le menton d'Edgar.)* Triste? A cause de Louise, encore?

Elle jette un second os par terre, Edgar se baisse, le ramasse, mais cette fois reste assis par terre, suçant les os.

EDGAR, *absent.* – Louise?

LA PLUS HEUREUSE DES FEMMES. – Pauvre petite Louise! Si courageuse! C'est tout de même bête! Mourir dans un accident de chemin de fer! Ça n'arrive pourtant pas tous les jours. *(Elle a un grand rire satisfait.)* Heureusement! *(Donnant à Edgar un léger coup de pied qui le fait sursauter.)* Vous n'y êtes pour rien, que voulez-vous. Vous ne l'avez pas poussée à partir! Au contraire, vous avez tout fait pour la retenir, vous avez tout mis en œuvre...

EDGAR, *toujours assis par terre, se redressant un peu.* – Oui, j'ai fait tout ce que j'ai pu... J'ai même pensé...

La plus Heureuse des Femmes. — Aller la chercher là-bas. Mais vous ne saviez pas l'adresse.

Edgar, *toujours les os à la main.* — C'est vrai. Je ne savais pas l'adresse. Je la lui avais demandée, mais elle me disait que... que ce n'était pas la peine. Pour si peu de temps! Je ne lui aurais pas écrit dès le premier jour, alors...

La plus Heureuse des Femmes. — Alors, tout ça, c'est du bavardage. D'autant plus qu'elle n'est jamais arrivée là-bas. *(Riant.)* L'accident, c'était au départ de Montpellier!

Edgar, *qui depuis un instant a lâché ses os et fouillé fébrilement dans ses poches.* — C'est... affreux!

La plus Heureuse des Femmes, *qui a fini de manger, remettant son paquet dans le cabas.* — Qu'est-ce qui vous arrive?

Edgar, *se levant brusquement.* — J'ai... perdu mon billet!

La plus Heureuse des Femmes, *riant.* — Vous en êtes sûr? Cherchez bien.

Edgar, *retournant les poches de son pantalon.* — Regardez! Je n'ai pas des milliers de poches.

La plus Heureuse des Femmes. — Et par terre?

Edgar, *se mettant à quatre pattes et cherchant sous les pieds et les jupons de la plus Heureuse des Femmes.* — Par terre non plus! *(Se redressant à genoux.)* Je... je ne comprends pas. Je n'ai jamais rien perdu de ma vie. C'est... *(criant)* la première fois!

La plus Heureuse des Femmes. — On vous l'a volé, sans doute.

Edgar. — Oui, ça ne peut être qu'un vol. Je ne vois pas d'autre explication, car tout à l'heure encore... Si je n'avais pas eu mon billet, je n'aurais même pas pu accéder au quai. *(Il se lève.)* Mais alors, il faut...

La plus Heureuse des Femmes, *le rasseyant de force à côté d'elle.* — Appeler la police? *(Riant.)* Dans le train?

Edgar. — C'est que je n'ai pas d'argent... je... je n'en ai plus... j'en aurai... mais pas avant...

La plus Heureuse des Femmes. — ... D'être arrivé chez votre maman. *(Pause.)* Eh bien, je vais payer pour vous, en voilà une affaire! *(Elle sort de l'argent de son sac, et le met dans la pochette d'Edgar.)* Mais oui, vous me le rendrez! A l'occasion, quand on se reverra!

> *La lumière baisse. La plus Heureuse des Femmes remet son manteau, prend son cabas, se lève, et sort en emportant les chaises. Edgar ramasse les os restés à terre. Il sort de sa poche une grande feuille de papier déchirée dont il enveloppe les os : puis il enfouit le petit paquet dans une poche de sa veste. De l'autre, il sort son « nœud papillon » qu'il met à son cou. Le pan de mur s'écarte, laissant apparaître le piano, recouvert d'une housse, et, à côté du piano, une voiture d'enfant. La lumière remonte.*
>
> *Edgar marche, inspecte la scène, cherchant visiblement quelqu'un.*

EDGAR, *criant.* – Lina! *(Silence. Il crie de plus en plus fort.)* Lina! Lina!

> *Entre à droite la Mère, vêtue d'une robe à fleurs. Elle s'avance vers Edgar qui ne bouge pas.*

LA MÈRE. – Mais c'est mon grand garçon qui m'est revenu! *(Elle l'embrasse sur le front.)* Mets-toi à l'aise, enlève ta veste. *(Edgar obéit, et jette sa veste par terre. La Mère s'approche du piano.)* Tu vois bien que je veux m'asseoir. Donne-moi la main. *(Edgar lui tend la main et l'aide à grimper et à s'asseoir sur le piano. Puis il fait quelques pas et s'arrête devant la voiture d'enfant.)* Il faut que je te mette au courant. C'est qu'il s'en est passé, des choses, en ton absence! *(Montrant la voiture d'enfant.)* Tu vois, nous avons un enfant *(riant)* à domicile. Oh! rassure-toi : pour les vacances seulement. Ta cousine, Jeanine, à la veille de ses examens, était surchargée de travail, alors elle nous a confié son bébé; nous n'avons pas eu le cœur de lui refuser ce petit service, Lina et moi. *(Edgar sursaute au nom de Lina.)* Lina l'aimait beaucoup, ton petit cousin; seulement elle le gâtait trop. Tu connais Lina! *(Edgar s'assied machinalement sur le rebord de la voiture d'enfant.)* Qu'est-ce qui t'étonne tellement? De me voir en bonne santé?... C'est vrai, j'oubliais de t'annoncer *(riant)* la bonne nouvelle. Figure-toi que la semaine dernière, un beau matin, je me suis réveillée *(riant)* d'aplomb! *(Pause.)* Si Lina avait vu ça, elle n'en aurait pas cru ses yeux. *(Pause.)* Pauvre Lina! Aller mourir si bêtement, sous un train! *(Edgar se lève.)* C'est de sa faute, aussi. Pourquoi partir à bicyclette, en pleine nuit? J'avais besoin de mon remède, mais je n'étais pas à quelques heures près.

> *Edgar, anéanti, titubant, s'appuie des deux mains à la voiture d'enfant.*

LA MÈRE, *poursuivant.* – Elle t'avait écrit. Justement ce jour-là. La lettre doit traîner quelque part. Attends!

> *La Mère descend du piano, s'approche d'Edgar, et brusquement, avec un rire, l'enfonce dans la voiture d'enfant. Edgar, grotesque, se débat; ses jambes sortent de la voiture. La Mère, riant de plus en plus fort, pousse du pied la voiture, qui traverse la scène de gauche à droite, puis disparaît dans la coulisse.*

Rideau.

LE PING-PONG

Au Bison.

DISTRIBUTION

(par ordre d'entrée en scène)

ARTHUR.	R.-J. Chauffard.
VICTOR	Jean Martin.
MADAME DURANTY.	Marcelle Géniat.
SUTTER	Jacques Mauclair.
MONSIEUR ROGER	Xavier Renoult.
ANNETTE	Christiane Lénier.
Le Vieux	Pierre Leproux.

Le Ping-Pong *a été représenté pour la première fois au Théâtre des Noctambules, le 2 mars 1955. Mise en scène de Jacques Mauclair. Décors de Jacques Noël.*

7

PREMIÈRE PARTIE

PREMIER TABLEAU

L'ESPÉRANCE

Une salle de café. A droite, une table, quelques chaises. A gauche, le comptoir. Au fond, non loin du comptoir, un billard électrique.

Arthur — jeune homme nerveux, tenue un peu négligée, pull over — est en train de jouer au billard électrique. Son ami Victor — jeune homme un peu trop grand, quelque chose d'ingrat, genre étudiant pauvre, chemise Lacoste — le regarde jouer.

Assise derrière le comptoir, Mme Duranty — soixante ans environ, petite, ratatinée, geignarde, fichu noir et fanfreluches — lit « l'Aurore ».

ARTHUR, *jouant.* – Qu'est-ce qu'il a, aujourd'hui ? Ce n'est pas normal. Tu as vu, elle est redescendue à toute vitesse.

VICTOR. – Tu m'excuseras, mais étant donné la façon dont tu l'as lancée...

ARTHUR. – Je l'ai lancée comme d'habitude, et il n'empêche...

VICTOR. – Non, tu ne vas pas recommencer !

ARTHUR, *qui a lancé une nouvelle bille.* – Ça y est ! Les quatre numéros du haut ! D'un seul coup ! Regarde !

VICTOR. – Regarde d'abord ce que tu fais. Ton flipper! Non! Celui de gauche!

ARTHUR. – Il ne fonctionne pas! Qu'est-ce que j'y peux? Madame Duranty, votre flipper de gauche ne fonctionne pas.

MADAME DURANTY. – Évidemment, vous jouez comme des sauvages. Quand on appuie sur les deux boutons en même temps, on les bloque, je vous l'ai déjà dit cent fois. Si vous continuez, vous allez me le tuer.

VICTOR. – Je vous en prie, Madame Duranty! Arthur ne sait pas jouer, c'est une affaire entendue; mais l'appareil ne s'en porte pas plus mal. L'appareil et nous, ça fait deux.

MADAME DURANTY. – Vous, avec vos raisonnements!

VICTOR, *à Arthur*. – Tu permets? *(Il prend la place d'Arthur qui s'écarte, lance une bille, puis, triomphant :)* Je t'annonce, cher Arthur, que le flipper de gauche... *(Frappant du pied.)* Ça, c'est trop fort!

ARTHUR. – Qu'est-ce que je te disais? Une fois sur deux, il refuse.

Il pousse Victor.

VICTOR. – Tu veux ma place? Seulement, je constate qu'aujourd'hui encore j'ai manqué mon cours pour te regarder jouer.

ARTHUR. – Victor, nous avons décidé de faire cette partie à tour de rôle. Si tu ne voulais pas, il fallait le dire plus tôt.

Il joue et rate.

VICTOR, *riant*. – Raté!

> *Entre à droite Sutter, une quarantaine d'années, grand, fort, il « déplace de l'air », beaucoup d'air, agite les bras, se démène, se gratte en parlant; complet clair d'une élégance douteuse; serviette de cuir.*

SUTTER. – Bonjour, Madame Duranty.

MADAME DURANTY, *abandonnant son journal*. – Bonjour, Monsieur Sutter.

SUTTER, *s'accoudant au comptoir*. – Alors, cette santé?

Madame Duranty. — Les reins iraient plutôt mieux, mais maintenant ce sont les jambes. *(Geignant.)* Ça tire, ça élance, ça n'a pas de pitié. *(Pause.)* Qu'est-ce qu'on vous sert, Monsieur Sutter?

Sutter. — Un Raphaël. Fidèle au Raphaël! *(Regardant autour de lui.)* Plutôt calme, aujourd'hui, l'Espérance!

Madame Duranty, *versant à boire à Sutter.* — A qui le dites-vous!

Sutter, *les bras au ciel.* — Les mystères du commerce! *(Il s'avance vers Arthur et Victor.)* Excusez-moi d'interrompre vos ébats, mes jeunes amis, mais *(montrant le billard électrique)* je dois ouvrir le ventre à cet énergumène. Travail oblige!

Il écarte Arthur et Victor.

Victor, *voulant faire bonne impression, tandis que Sutter s'apprête à ouvrir l'appareil.* — Eh bien, je me doutais que notre argent allait quelque part, mais je n'avais encore jamais assisté à l'opération.

Sutter. — Eh oui, vous semez, je récolte. *(Il sort de l'appareil un grand nombre de pièces de dix francs.)* Mais il n'est pas si mal nourri!

Madame Duranty. — On voit bien que ce n'est pas vous qui encaissiez du temps de Charles.

Elle se signe.

Sutter, *posant l'argent sur le comptoir.* — Pauvre homme! *(Pause.)* Le cancer, c'est le fléau moderne!

Madame Duranty, *comptant l'argent.* — Quand il a fait installer l'appareil, les affaires ont repris un peu...

Sutter. — Évidemment! La curiosité, l'attrait de la nouveauté!

Il lève son verre, que Mme Duranty remplit.

Arthur, *toujours près de l'appareil, tirant par le bras Victor, fasciné comme lui par Sutter.* — Je croyais que nous étions venus ici pour jouer.

Victor. — Alors, vas-y, qu'est-ce que tu attends?

Madame Duranty, *s'interrompant dans ses comptes.* — Seulement, maintenant, il y en a partout. J'ai même entendu dire qu'on va ouvrir des stands. Des salles entières *(avec désespoir)* où il n'y aurait plus qu'eux!

SUTTER. – Bah, un projet, comme tant d'autres! De la parole au geste!

MADAME DURANTY. – Et ceux qui viennent encore, c'est pour me le détraquer...

VICTOR, *saisissant l'occasion de se mêler à la conversation, tandis qu'Arthur joue rageusement.* – J'espère que vous ne parlez pas de nous, Madame Duranty.

MADAME DURANTY. – Comme s'il n'y avait que vous au monde! *(A Sutter.)* Et les réparations, quelle histoire! Quand on a besoin d'un ouvrier, il est toujours malade. La maladie des uns, la maladresse des autres!

> Sutter, accoudé au comptoir, rit.
> Entre ò droite M. Roger, jeune homme distingué quoique très mal vêtu, veste élimée, fleur à la boutonnière.

MADAME DURANTY, *bondissant.* – Ah non, Monsieur Roger, je ne vous servirai pas. Pour que vous alliez encore déblatérer contre mon appareil, merci bien!

MONSIEUR ROGER. – Il ne s'agit pas de *votre* appareil. Je n'aime pas ce genre de distractions, voilà tout; et je ne vois pas pourquoi je me priverais de le dire. Croyez-moi, Madame, vous avez tort de jouer les dictateurs, ce n'est pas votre emploi.

MADAME DURANTY. – Mon quoi?

MONSIEUR ROGER. – Naturellement, vous ne connaissez pas le terme. Veuillez m'excuser. Ceci dit, comme j'ai toujours payé mes consommations, je vous serais reconnaissant de me servir.

MADAME DURANTY. – Non, non, allez boire ailleurs. *(Arthur veut intervenir en faveur de M. Roger, Victor le retient par la manche.)* Mais voilà, dans les cafés sans appareils, on a moins de chance de rencontrer des demoiselles.

SUTTER. – Pas folles, les demoiselles!

MADAME DURANTY. – Et puis, de toutes façons, elle n'est pas venue aujourd'hui. Et puis même si elle était venue, je ne vous le dirais pas. *(Soupirant.)* Pauvre petite!

MONSIEUR ROGER. – Enfin, vous êtes extraordi-

naire. Est-ce ma faute si je trouve ces appareils vilains
et vulgaires?

Sutter. — Vous ne savez pas devant qui vous parlez, jeune homme.

Monsieur Roger. — Non, mais fussiez-vous le chef
de cette entreprise que je ne changerais rien à mes
propos.

Sutter. — Avez-vous jamais médité sur ce jeu, qui
vous paraît si méprisable? Non, alors silence, et au
travail!

>*Il prend sur le comptoir l'argent qui lui*
>*revient, et le met dans sa serviette.*

Madame Duranty, *secouant son tablier.* — Allez,
ouste!

Monsieur Roger. — Très bien, je n'ai pas coutume
de m'imposer. *(Montrant d'un geste hautain Arthur et
Victor.)* D'ailleurs, je vois que vous avez choisi votre
clientèle.

>*Il sort.*

Madame Duranty, *revenant derrière le comptoir.* — Ça
n'a rien, pas de situation, pas un sou, et ça fait le ma-
lin. Dire qu'il y a des jeunes filles pour s'amouracher
d'un blanc-bec pareil!

>*Elle reprend son journal.*

Sutter. — Signe des temps!

Victor. — C'est drôle, je ne connais ce personnage
ni d'Ève ni d'Adam, mais j'avoue qu'à première vue,
il m'a fait assez mauvaise impression. Le genre « fleur
à la boutonnière » quand on traîne la savate...

Arthur. — Je ne vois pas pourquoi il n'aurait pas
le droit...

Sutter, *riant.* — Romantisme pas mort!

Madame Duranty, *s'interrompant dans sa lecture.* —
Encore un coup des Nord-Africains! Ces gens-là, dès
qu'ils peuvent égorger quelqu'un!

Victor. — Méfiez-vous, Madame Duranty, vous
parlez exactement comme les fascistes.

Sutter. — Et les Nord-Africains, pas fascistes, peut-
être?

Arthur. — Pourquoi le seraient-ils?

MADAME DURANTY. – Et les Allemands, alors?

VICTOR, *haussant les épaules*. – Quel rapport?

MADAME DURANTY. – Les uns et les autres, des voyeurs.

SUTTER, *riant*. – Expliquez-nous ça, Madame Duranty.

MADAME DURANTY. – Ce n'est pas difficile. On n'a jamais vu un Nord-Africain jouer à l'appareil; ils entrent, ils regardent, ça ne coûte rien, pas besoin de se gêner. Et les Allemands font la même chose.

SUTTER. – Les Allemands sont des calculateurs. Ils s'abstiennent parfois, mais c'est pour observer, évaluer les chances. La seule chose qui m'étonne, c'est que dans leur pays les appareils ne jouissent pas de la faveur que normalement ils devraient connaître. J'étais le mois dernier, pour affaires, à Heidelberg... Charmant, Heidelberg, et pour ce qui est des jolies filles...

> *Arthur et Victor ont recommencé à jouer, mais ils ne peuvent s'empêcher de regarder à tout moment Sutter, qui stupéfie Victor et exaspère Arthur. Mimiques.*
>
> *Entre Annette, jeune fille grande, mince, jolie. Pourtant, quelque chose d'acide. Cheveux flottants.*
>
> *Victor frappe sur l'épaule d'Arthur pour lui signaler l'entrée d'Annette. Ici commence entre eux un échange perpétuel de signaux muets : curiosité et admiration à l'égard d'Annette, ahurissement et fureur à l'égard de Sutter.*

MADAME DURANTY. – Mais c'est Annette!

ANNETTE. – Oui, j'avais à faire dans le quartier, et j'en ai profité pour vous dire un petit bonjour.

MADAME DURANTY, *embrassant Annette*. – Mon petit Anneton, qui pense à moi!

SUTTER, *à Arthur et Victor, voulant attirer sur lui l'attention d'Annette*. – Du calme! Ne jouez pas ainsi avec vos nerfs, maîtrisez-vous! *(A Annette qui s'est mise à rire.)* Ne riez pas, Mademoiselle. Il n'est de meilleur dompteur que le dompteur de soi-même.

ANNETTE. – Ah, vous voyez l'appareil comme un fauve!

SUTTER. – Et vous comme une princesse lointaine, puisque Madame Duranty ne m'a pas encore jugé digne de vous être présenté.

MADAME DURANTY. – C'est vrai, j'oublie tout. Ma pauvre tête ! *(Faisant les présentations.)* Annette, sa maman était une vieille amie à moi. Monsieur Sutter, qui vient souvent ici *(baissant la voix)* pour l'appareil !

> *Poignée de main entre Annette et Sutter.*
> *Sutter prend Annette par l'épaule et l'entraîne*
> *vers la table. Annette se dégage.*

ANNETTE. – A propos, Madame Duranty, vous n'êtes toujours pas allée voir « le Premier Amour de Benjamin Franklin ». Vous avez tort, c'est un film pour vous.

MADAME DURANTY. – Mais il est trop loin, ton cinéma, mon petit. Avec mes pauvres jambes !

> *Elle regagne le comptoir en boitillant.*

SUTTER, *qui s'est assis à côté d'Annette.* – Vous m'étonnez, Mademoiselle. Je n'aurais pas cru, de prime abord, que vous fussiez une adepte aussi fervente des salles obscures. Le plaisir passif, ce n'est pas un plaisir. *(Montrant l'appareil.)* Voyez-vous, si déjà divertissement il y a, mes préférences iraient plutôt à cet instrument. Avec lui, on agit, on lutte, on participe. *(Pause.)* Mais je perds mon temps, je prêche une convertie. Je suis sûr que vous l'aimez autant que je l'aime, le monstre !

ANNETTE. – Oui, mais d'un amour assez platonique, car il est très entouré. Ne s'approche pas de lui qui veut.

> *Elle montre Arthur et Victor.*

SUTTER. – Qu'à cela ne tienne, je vous le libère séance tenante. *(Il s'approche d'Arthur et Victor.)* Messieurs, Mademoiselle voudrait disposer de l'appareil.

ARTHUR, *à Sutter.* – Je le lui aurais déjà proposé, si je n'avais craint d'être indiscret. *(A Annette.)* Il est à vous, Mademoiselle.

> *Arthur, puis Victor, s'écartent.*

ANNETTE, *se levant*. — Vraiment, ça ne vous ennuie pas ?

VICTOR. — Pas du tout, à condition *(riant)* que vous soyez à la hauteur.

MADAME DURANTY. — Tu aurais bien tort de te gêner, mon petit.

ANNETTE, *qui a commencé à jouer*. — Je n'y comprends rien ! Tous les numéros s'allument, et ça ne fait même pas un million.

ARTHUR. — Je vois que vous ne le connaissez pas. Autrement, vous vous seriez déjà demandé, comme je me le suis souvent demandé moi-même, si le hasard...

VICTOR, *qu'Arthur agace, et bien décidé à se faire remarquer par Annette*. — Il y a appareil et appareil. Ainsi, celui des « Platanes », dont j'avais l'habitude...

MADAME DURANTY, *glapissant*. — Eh bien, retournez-y, aux « Platanes », ne changez pas vos habitudes !

SUTTER, *qui s'est tu, certes, un moment, mais n'attend que l'occasion de se rattraper*. — Hasard, habitude, des mots ! *(A Annette.)* Allumez d'abord les numéros du haut, voyons ! Le deux ! C'est le plus difficile ! Quand on a allumé le deux... Mais vous ne visez pas ! Il faut viser, toujours viser ! L'œil du chasseur ! *(Pause.)* Vous permettez ?

ARTHUR, *à Sutter*. — Attendez au moins que Mademoiselle...

ANNETTE, *riant*. — Mais non, laissons-le faire. Regardez-le, c'est une force de la nature.

SUTTER. — Riez, riez tous, l'avenir jugera. *(Il joue et gagne.)* Les flippers du haut, tout est dans les flippers du haut. Une seule bille, cinq parties gratuites ! Ça vous étonne, hein ?

ANNETTE. — Assez.

> *Arthur et Victor, agacés, se font des signes.*

SUTTER. — C'est moins étonnant, cependant, qu'on ne pourrait le croire. *(Pause.)* Vous ne vous êtes sans doute jamais demandé, Mademoiselle, d'où venait cet appareil, dans quelle tête, un jour, en a germé l'idée ? Or cette tête, moi, je la connais et je la reconnaîtrais entre mille, pour l'avoir vue, enfant, penchée sur le même pupitre que moi. En d'autres termes, le fondateur et chef du Consortium est tout bonnement l'ami d'enfance de Sutter.

MADAME DURANTY, *émergeant de son « no man's land » mental.* — Eh bien, je me doutais de quelque chose comme ça.

ARTHUR, *que Victor tire par la manche, à Sutter.* — Excusez-moi, mais dans ces conditions, je comprends mal qu'un emploi d'encaisseur...

SUTTER, *avec un geste des bras particulièrement éloquent.* — Encaisseur! Je ne l'étais pas hier, je ne le serai pas demain! J'ai mis le doigt dans tous les rouages. Administrateur, prospecteur...

ANNETTE, *qui s'amuse.* — Prospecteur, c'est joli! Qu'est-ce qu'il fait, le prospecteur?

SUTTER. — Il prend la température du public, il trinque avec l'un, il trinque avec l'autre, il observe, il écoute. Sa mission? Renseigner le Consortium sur l'opinion des joueurs, leurs goûts, leurs désirs, les modifications qu'ils attendent, les réformes qu'ils espèrent. *(Pause.)* Un gros travail, mais bien payé. Au fait, ça vous intéresserait?

ANNETTE. — Vous savez, je suis ouvreuse, et je n'ai jamais ambitionné...

MADAME DURANTY. — Oui, Annette est ouvreuse, mais moi j'aurais mieux aimé la voir masseuse.

ANNETTE. — Ils gagnent tant d'argent, les prospecteurs?

SUTTER, *s'accoudant largement sur l'appareil.* — Ils ne sont pas à plaindre, croyez-moi. Évidemment, ce n'est pas, du jour au lendemain, la fortune. Le gros lot, la montée en flèche : privilège de l'inventeur!

ANNETTE, *que Sutter amuse, décidément.* — Inventeur de quoi?

SUTTER. — De tout. Vous voyez ces flippers, ces bumpers, ces flèches lumineuses : ils se transforment, ils se perfectionnent chaque jour. Le joueur réclame sans cesse du nouveau, et sans cesse l'inventeur lui en donne.

MADAME DURANTY. — Alors, toutes ces petites choses-là, c'est de l'argent pour les inventeurs?

SUTTER, *riant*. – Et pour Madame Duranty!

ARTHUR, *très sec, à Sutter*. – Je crois que Mademoiselle voudrait prendre sa revanche.

SUTTER, *s'écartant galamment de l'appareil*. – Qu'à cela ne tienne! *(A Annette.)* Acceptez, Mademoiselle, ces quelques parties gratuites, et pardon! Quand je parle, rien ne peut m'arrêter, je sais. On me l'a déjà fait remarquer, comme si je ne le remarquais pas moi-même. *(Pause.)* Ainsi le Vieux — le Vieux, c'est mon ami d'enfance; on lui a donné ce surnom parce qu'il a l'air d'un vieux, bien qu'il ait à peu de chose près mon âge... Quel âge me donnez-vous?

ANNETTE, *riant*. – L'âge qu'on veut, vous n'en avez pas.

SUTTER. – Et si je devais en avoir un?

ANNETTE. – Quarante-cinq.

SUTTER. – Erreur! Je ne suis pas encore entré *(riant)* en quarantaine. Mais la vie m'a marqué, c'est vrai. Ah, si vous connaissiez ma vie!

ANNETTE, *qui a oublié l'appareil*. – Qu'est-ce qu'elle a de si particulier, votre vie?

SUTTER, *qui est allé s'asseoir pour parler plus commodément*. – D'abord, les colonies, le paludisme. Embêtant, le paludisme...

MADAME DURANTY, *toujours derrière son comptoir*. – Ces maladies-là, on ne s'en relève jamais.

ANNETTE, *s'asseyant à côté de Sutter et provoquant ainsi une furieuse mimique d'Arthur et de Victor*. – Ah, vous étiez... prospecteur colonial?

SUTTER. – Rien à voir. J'avais choisi de faire mon service là-bas, et, quand tout est dit, je ne le regrette pas. Pourquoi? Parce que j'avais un cheval. Ah, ces randonnées à travers le désert, où l'on ne fait qu'un avec sa bête!

Annette rit.

ARTHUR, *s'approchant d'Annette, suivi par Victor qui le retient*. – Excusez-moi de me mêler aussi « cavalièrement »...

VICTOR, *diplomate*. – Écoute, Arthur, je sais que ni toi ni moi, n'aimons les militaires...

SUTTER. – Et moi, croyez-vous que je les aime?

Plutôt que de rester avec eux, j'ai préféré *(se tournant vers Annette)* devinez quoi? Me faire débardeur.

ANNETTE, *riant*. – Débardeur? Aux Halles?

SUTTER. – Non, à Anvers.

ARTHUR. – Naturellement!

MADAME DURANTY. – Vous connaissez Anvers, Monsieur Sutter?

SUTTER. – Retour d'Anvers, période assez curieuse. Pas de logis, pas de travail, et je ne cherchais ni l'un ni l'autre. Cette expérience-là me manquait, j'ai tenu à la vivre; mais attention! à la vivre consciemment *(riant)* et provisoirement! La misère, parfait, à condition de savoir en sortir.

VICTOR. – Et de le vouloir. Ainsi je ne suis pas sûr que le petit freluquet de tout à l'heure...

ARTHUR. – Je ne vois pas ce que vous avez, Monsieur et toi, contre...

ANNETTE. – De qui parlez-vous? Je ne comprends pas.

ARTHUR. – Figurez-vous, Mademoiselle, qu'un peu avant votre arrivée, un jeune homme assez beau, pauvrement vêtu, et qui portait une fleur à sa boutonnière...

ANNETTE, *bondissant jusqu'au comptoir*. – Comment, Madame Duranty, Roger est venu et vous ne m'avez rien dit? C'est insensé, à la fin!

MADAME DURANTY, *geignant*. – Non, je ne te l'ai pas dit parce que ça me fait mal au cœur de te voir avec ce garçon-là. Crois-moi, Annie, c'est une vieille amie de ta maman qui te parle, et qui veut ton bien, Annie, qui veut ton bien...

ANNETTE. – C'est possible, mais j'ai besoin de le voir. Vous m'excuserez. *(A la cantonade.)* Messieurs!

> *Elle s'apprête à sortir. Stupeur d'Arthur et de Victor.*

SUTTER, *se levant*. – Mais je m'attarde, moi aussi. Mademoiselle, vous me rappelez à mon devoir. Permettez que je sorte avec vous. Nous ferons quelques pas côte à côte, puis chacun s'en ira vers son destin : *(Il prend sa serviette.)* Sutter, tout banalement, au Consortium, et vous...

Geste du bras.
Annette, sans répondre, sort. Sutter la suit
après avoir salué de la main l'assemblée.

MADAME DURANTY. — La petite malheureuse!

Elle compte et recompte les pièces de mon-
naie restées sur le comptoir.

ARTHUR *resté debout, les bras ballants, au milieu de la*
scène. — Incroyable! Elle sort pour chercher quelqu'un
d'autre, et lui, il s'impose!

VICTOR. — Voilà qui devrait te faire réfléchir, car,
si tu veux mon avis, ce n'est pas avec Monsieur Roger
qu'elle finira la soirée.

ARTHUR. — Comment? Tu crois cette jeune fille
assez folle pour ne pas voir l'imposture vivante que
représente un tel homme? C'est pourtant gros : Anvers, le désert, le Consortium... Du reste, elle riait.

VICTOR. — Raison de plus! Une fille qui rit ne s'ennuie pas. Et d'autre part, quoi que tu puisses dire sur
le désert, le Consortium, lui...

ARTHUR. — Mais il n'y a jamais mis les pieds, dans
ce Consortium, sinon, peut-être, pour y vider sa misérable sacoche... Moi aussi, je pourrais dire que je fais
partie d'un consortium.

VICTOR. — Non. Habillé comme tu l'es...

ARTHUR. — Madame Duranty, vous qui connaissez
ce Monsieur, croyez-vous, oui ou non, qu'il ait une
situation importante au Consortium?

MADAME DURANTY. — Tout ce que je sais, c'est
qu'il est plus riche que vous, mes agneaux. *(Elle se*
lève, prend l'argent qu'elle a mis dans un petit sac, et s'ap-
prête à sortir.) Gardez la boutique un moment. Si
quelqu'un vient, vous m'appelez; je suis là-haut.
(Montrant l'appareil.) Et ne me le secouez pas!

Elle sort.

VICTOR. — Tu vois, il en impose à Madame Duranty
parce qu'il a de l'argent. Quand tu auras compris le
prestige de l'argent sur les femmes, tu te décideras
peut-être à en gagner. Et il est bien évident que tu n'en
gagneras pas en corrigeant éternellement des copies
pour l'École universelle.

ARTHUR. – Je regrette, mais toi non plus, tu n'en gagnes pas.

VICTOR. – Non, mais j'en gagnerai, car je ferai ma médecine, jusqu'au bout. Et crois-moi, malgré ma bourse, ça m'a demandé, et me demandera encore des sacrifices.

ARTHUR. – Et moi, tu voudrais que, pendant ce temps, je prépare ma licence. Eh bien non, je ne la préparerai pas, car, à tout prendre, j'aime encore mieux corriger des copies que de perdre ma jeunesse pour, à soixante-dix-sept ans, faire, tous les dimanches après-midi, une partie de billard avec un collègue du même âge. *(Pause.)* Tu as dix francs?

VICTOR. – Je t'ai déjà dit que non.

ARTHUR. – Oui, tu me l'as déjà dit.

VICTOR. – D'autre part, je te fais remarquer que nous n'avons pas besoin d'argent. *(Riant.)* Sutter a gagné cinq parties gratuites, cher Arthur, et elles sont à notre disposition.

ARTHUR. – Écoute, Victor, tu vas peut-être me juger ridicule, mais je n'ai ni l'envie ni l'intention de ramasser les miettes de Sutter. Joue si tu veux, mais dans ces conditions je resterai spectateur.

VICTOR. – Libre à toi.

Il se prépare à jouer.

ARTHUR. – Tu as raison, on va les lui prendre, ses fameuses parties. *(Ricanant.)* Il sème, nous récoltons; chacun son tour! *(Victor s'accoude à l'appareil, résigné à écouter un discours d'Arthur.)* De plus, il serait trop content qu'on ne touche pas à ses victoires! Avoue qu'il serait content! *(Victor a un geste évasif.)* D'ailleurs, on n'a pas à se demander si Sutter est content ou mécontent. Je commence, tu veux bien?

VICTOR. – Tu commences? Comme c'est inattendu!

Il va vers le comptoir et prend le journal.

ARTHUR, *secouant l'appareil qu'il vient de détraquer en jouant.* – Victor!

VICTOR. – Quoi?

ARTHUR. – Victor, viens vite! Tout... tout s'est éteint!

VICTOR, *s'approchant, le journal à la main.* – Qu'est-ce que tu as fait? Tu l'as secoué trop fort, évidemment.

ARTHUR. – Non, non, pas plus que d'habitude... et je ne comprends pas; absolument pas...

Il secoue de nouveau l'appareil.

VICTOR. – Écoute, tu l'as déjà détraqué; inutile de le démolir complètement. Viens! Nous n'allons pas rester ici, à attendre Madame Duranty, car telle que je la connais...

ARTHUR. – Elle peut parler, celle-là! Quand on a un appareil pareil!

VICTOR. – Tu lui exposeras tes griefs un autre jour.

Il prend le bras d'Arthur, qui se dégage.

ARTHUR, *en contemplation devant l'appareil.* – Et la bille continue de rouler, naturellement, alors que ça ne sert plus à rien, que rien ne s'allume, que tout est bloqué. Regarde!

VICTOR. – Regarder quoi? Le résultat de tes prouesses? Intéressant, en effet!

Il tire violemment Arthur par la manche.

ARTHUR. – Je viens, je viens.

Obscurité. Puis deux projecteurs se rallument, éclairant uniquement Arthur et Victor, debout l'un en face de l'autre à l'avant-scène.

Enfin, Victor, tu as vraiment l'air de me prendre pour un fou; je ne vois pas pourquoi. A moins que je ne me sois mal expliqué... Et pourtant, non, écoute. *(Pause.)* Qu'est-ce qui se passe quand on joue, et que, par mégarde, on secoue un peu l'appareil? Il se détraque, et c'est désastreux pour tout le monde. Le joueur se sent brusquement lésé, ce qui l'exaspère, forcément; et, de son côté, le patron se trouve privé de la source de revenus que représente pour lui l'appareil. Or, avec mon système, on évite les deux inconvénients, puisqu'il suffit au joueur de remettre une pièce de dix francs pour que le mécanisme se rétablisse de lui-même et qu'une nouvelle partie devienne possible. C'est tout de même clair, il me semble.

VICTOR. – Ne recommence pas à déplacer le problème. Oui, l'idée est défendable ; mais je maintiens
qu'il n'y a aucune raison pour que le Consortium te
charge, justement toi, Arthur, de perfectionner ses
appareils. Et puis, tes renseignements, de qui les
tiens-tu ? De Sutter. Or, tu as passé des heures à me
démontrer par a + b que Sutter n'était rien d'autre
qu'un pauvre encaisseur faisant le beau pour séduire
une malheureuse jeune fille.

ARTHUR. – Victor, je n'ai pas changé d'avis sur la
position personnelle de Sutter. Je disais, et je dis toujours, que non seulement il n'est pas l'ami d'enfance
du directeur, mais qu'il ne l'a jamais rencontré.
Néanmoins, les choses ne sont pas toujours aussi
simples que tu veux le croire. Il y a, par exemple, un
détail que Sutter ne peut pas avoir inventé : ce surnom de Vieux, donné au directeur.

VICTOR. – Et en admettant même que le directeur
soit réellement surnommé le Vieux, peux-tu me dire
en quoi cela nous le rend plus accessible ? *(Pause.)*
La situation se présente donc de la façon suivante.
Vieux ou pas, nous ne connaissons pas cet homme, et
nous n'avons aucun moyen de nous mettre en rapport avec lui. *(Ricanant.)* A moins évidemment que
tu ne comptes sur l'aide de Sutter.

ARTHUR. – L'aide de Sutter ! *(Pause.)* Victor, c'est
incroyable ! Pour une fois que j'ai, que nous avons
une chance réelle, concrète, de sortir de la misère,
ensemble, toi, au lieu de me remercier, de m'encourager, tu m'opposes un... un véritable barrage. Je
ne te demandais pourtant pas grand-chose. J'aurais
simplement voulu que tu viennes avec moi... A nous
deux, nous nous serions mieux expliqués, plus clairement, plus rationnellement. Mais puisque ça t'ennuie à ce point, n'en parlons plus, j'irai tout seul.

> Arthur, joignant le geste à la parole, s'éloigne
> déjà. Victor, après un instant d'hésitation, le
> suit.

DEUXIÈME TABLEAU

LE CONSORTIUM

Le bureau du Vieux. Un peu à gauche, une table derrière laquelle trône, dans un fauteuil, le Vieux, cinquante ans peut-être, sorte de monstre, caricature du « gros patron ». Une inquiétude l'agite, pourtant.

Assis en face de la table, légèrement à droite — le spectateur les voit de profil — Arthur et Victor. Ils ont fait un effort vestimentaire.

Le Vieux. — Une idée formidable, tout simplement! Inspirer la crainte pour redoubler le plaisir. *(Levant les bras.)* C'est cela, la connaissance du cœur humain. Dix francs, un petit geste, et ce qu'on croyait fini, classé, mort, recommence, revit! *(Riant.)* Comme avant, mieux qu'avant!

Arthur, *se penchant en avant pour parler.* — Excusez-moi si je me réfère, une fois de plus, au souvenir que j'évoquais tout à l'heure, mais de quoi peut-on parler, après tout, sinon de ce qu'on a vécu personnellement? Eh bien, nous avons eu *(riant)* devant ce malheureux appareil, exactement... le même sentiment...

Victor, *voulant corriger par sa pondération l'enthousiasme d'Arthur, qu'il juge un peu excessif.* — Et nous avons compris que le seul moyen de ramener l'incident à des proportions normales était de le banaliser. Autrement dit, de faire que pour dix francs...

Le Vieux. — Dix francs, qu'est-ce que c'est, de nos jours? Un demi-verre de vin servi au comptoir, rien du tout!

Victor. — C'est exactement le calcul que nous nous sommes fait. Pour le joueur, une dépense minime, insignifiante; pour l'appareil, un gain considérable, grâce à la multiplication des dépenses.

ARTHUR. – Oui, mais ce que nous ne savions pas, c'est que vous seriez frappé, comme nous l'avons été nous-mêmes, par la valeur générale, la valeur humaine de cette idée. Évidemment, nous nous en doutions un peu, puisque nous sommes venus, mais entre se douter, espérer ou, pour être tout à fait sincère, vouloir espérer, et savoir, il y a un abîme...

LE VIEUX. – Voyons, si des idées comme celles-là n'étaient pas immédiatement reconnues, épousées par ceux qui peuvent leur permettre de voir le jour, où irions-nous ? *(Pause.)* Non, de ma part, c'est normal, mais ce qui me surprend et surtout me réjouit, c'est de constater, une fois de plus, l'enthousiasme que suscite chaque découverte valable parmi les joueurs avisés, les joueurs d'élite. *(Arthur et Victor se regardent avec étonnement.)* Oh, il n'y a pas de miracles, l'idée était dans l'air, tout le monde tournait autour. Encore fallait-il trouver la formule. Et quelle est-elle, cette formule ? Un mot : ce mot bref, incisif, de « Tilt », qui surgit soudain au tableau pour annoncer le désastre.

VICTOR, *bondissant sur sa chaise.* – « Tilt ? »...

ARTHUR, *idem.* – Maïs...

LE VIEUX. – Ah, vous aussi, vous butez sur le mot. Qu'est-ce que vous avez, tous, contre cette malheureuse langue ? Réfléchissez ! L'anglais parle à l'imagination. On comprend et on ne comprend pas.

ARTHUR. – Ce n'est pas...

LE VIEUX. – Vous êtes jeunes, et patriotes aussi, peut-être. Mais pensez un peu à la messe. Est-ce qu'elle est dite en français, la messe ? Et l'Église sait ce qu'elle fait. L'Église, voilà l'homme d'affaires, des grandes affaires durables !... Je m'échauffe inutilement.

> Arthur veut prendre la parole, mais Victor, sans quitter sa chaise, le tire par la manche. Victor obéit.

LE VIEUX, *à Victor.* – Laissez-le donc parler ! S'il a des objections à faire, qu'il les fasse. Vous êtes venus ici pour discuter, pour donner votre avis, je suppose.

> Arthur et Victor se regardent, affolés.

Je ne suis pas de ceux qui appellent à grands cris les referendums. Mais entre le formulaire, rempli presque toujours par des minus — qui écrit, qui répond aux enquêtes? Le minus — et la parole vivante, l'échange direct des points de vue, pas besoin de vous dire qu'une fameuse marge subsiste. *(Pause.)* Rien ne me rassure autant que de voir des inconnus, des jeunes gens, comme vous, venir personnellement nous trouver pour nous approuver ou nous blâmer, ou encore, comme c'est le cas, approuver et blâmer en même temps tel projet qui nous a été soumis.

ARTHUR, *bondissant*. — Comment? Quelqu'un... déjà?...

VICTOR, *rivé à sa chaise*. — Avant nous?

LE VIEUX. — Quoi? *(Pause.)* Ah, j'y suis! Vous pensiez être les premiers... *(Il rit.)* Un malentendu! Notre conversation tout entière a été fondée sur un malentendu! Mais ça change tout! Pourquoi diable, alors, ne m'avez-vous pas interrompu? Je sais, j'étais lancé, mais dans un cas pareil... *(Pause.)* Et moi qui vous parlais comme à des joueurs ordinaires! La psychologie des masses! Vous avez dû me prendre pour un imbécile. *(Pause.)* Alors, vous aussi, vous avez trouvé la combine? *(Riant.)* Mort et résurrection, le tout pour dix francs!

> *Il se lève, va s'asseoir sur la table, et frappe sur l'épaule d'Arthur.*

ARTHUR, *se raidissant*. — Excusez-moi, mais...

VICTOR, *s'efforçant de paraître adulte*. — Que veux-tu, Arthur, il y a de notre faute. Et, en un sens, nous aurions dû nous attendre... D'autres, bien avant nous, travaillaient déjà pour le Consortium, et...

LE VIEUX, *se levant, à Victor*. — Ne vous faites pas plus dur que vous n'êtes. Et puis, il faut comprendre votre ami. Il est déçu, c'est normal; car, si mon intuition ne me trompe pas, c'est lui qui, de vous deux, a eu l'idée. *(Se rasseyant dans son fauteuil.)* Et une idée, c'est de l'argent. Quand on perd de l'argent on est triste. Humain, trop humain!

ARTHUR. — Je ne suis pas triste, mais étonné; et croyez moi... pas seulement... parce que nous devons

renoncer à un gain sur lequel nous avions le droit de
compter, mais aussi parce que... parce que je trouve
cette coïncidence un peu, disons le mot, bizarre. Et
si je ne la trouvais pas telle, ce serait à votre tour de
vous étonner, car cela prouverait...

Le Vieux, *riant*. – Que d'étonnements! *(Soudain
grave.)* J'ai tort de rire, car je suis un peu comme
vous... Moi aussi, bien des choses m'étonnent, dans le
monde. Tenez, ce matin encore... *(Pause.)* J'avais
demandé un rapport sur l'exploitation du billard électrique en Italie du Sud. Eh bien, quand je l'ai lu,
j'en suis resté estomaqué. Dieu sait pourtant si j'ai vu,
plus d'une fois, fumer le Vésuve. Mais je n'aurais
tout de même pas supposé que ces gens-là possédaient,
en tout et pour tout, deux cent vingt appareils! Et
quels appareils! Des appareils sans flippers! Imagi-
nez-moi ça.

Victor. – Eh bien moi, je trouve assez normal,
étant donné d'une part les conditions de vie, d'autre
part le climat...

Le Vieux. – Normal! Vous trouvez normal qu'un
homme, de son plein gré, se livre au hasard, refusant
le secours naturel du flipper? Et le pêcheur napolitain, alors? Est-ce qu'il prend la mer sans rames, le
pêcheur napolitain?

> *Depuis un moment déjà, Arthur et Victor*
> *se regardent. Jeu muet : « Si on partait? »*
> *Victor se lève.*

Las d'entendre mes discours? *(Soupirant.)* Évidemment, vous avez vos soucis, et ils ne recoupent pas les
miens. Bon, partez, je ne vous retiens pas. Seulement,
promettez-moi de revenir une autre fois, quand vous
voudrez. Je sens que nous pouvons nous entendre.
(Il se lève et désigne de l'index le front d'Arthur.) Oui, il
y a des choses là-dedans qui ne demandent qu'à sortir,
j'en suis sûr.

Victor. – Tu viens, Arthur?

> *Il lui prend le bras, Arthur se dégage.*

Arthur, *au Vieux*. – Vous êtes trop aimable, mais
nous ne pouvons rien vous promettre. Pour travailler,

il faut un minimum de confiance, et j'avoue que ce minimum lui-même, aujourd'hui... En d'autres termes, quand une démarche, dans laquelle on a mis toutes ses réserves d'espoir, échoue et, de plus, échoue sans qu'on sache très bien comment et pourquoi, on a tendance à croire, même si rien, en fait, ne le prouve, que la démarche suivante... Vous devriez, oui, vous particulièrement, étant donné votre position, comprendre ce mécanisme de l'esprit. (Il prend le bras de Victor qu'il veut entraîner vers la sortie.) Tu viens, Victor?

LE VIEUX, s'approchant d'Arthur et de Victor. — A votre aise, mais je vous rappelle, mes amis, que la récidive ne coûte pas cher. Un petit coup de téléphone, et le tour est joué. (Riant, et prenant Arthur et Victor par les épaules.) Le labyrinthe bureaucratique? Fable accréditée par les faibles. Un chef d'entreprise, ce n'est pas un châtelain dont on ne connaît le nom que pour s'être égaré une fois dans ses domaines; c'est un monsieur tout simple, que l'on peut voir, avec qui on peut bavarder, comme on veut, quand on veut... Par conséquent...

> Arthur et Victor, réunis dans les bras du Vieux, se regardent affolés et, brusquement, se dégagent; ils voudraient sortir, mais ne sortent pas.

Alors, compris? Dès que vous avez une idée, vous accourez... Si je ne suis pas là, aucune importance, vous vous adressez à mon secrétaire. On peut tout lui dire (riant), c'est un second moi-même. (Pause.) D'ailleurs, le voilà.

> Entre M. Roger, métamorphosé, élégant : pli de pantalon impeccable et toujours fleur à la boutonnière.

LE VIEUX, allant se rasseoir. — Roger, je te présente deux travailleurs. Ces jeunes gens m'ont redonné confiance dans la nouvelle génération (riant), la tienne. Tu vois, il n'y a pas que des fainéants! (A Arthur et Victor.) Monsieur n'est pas un fervent des grands efforts intellectuels.

MONSIEUR ROGER, *avec un petit rire impertinent.* –
C'est vrai, Monsieur Constantin, je n'aime pas travailler, mais j'admets très bien que les autres tra-
vaillent.

> *Le Vieux a un rire indulgent et frappe sur
> l'épaule de M. Roger. M. Roger s'assied sur
> la table. Arthur et Victor, que la surprise a
> cloués sur place un instant, s'interrogent du
> geste.*

LE VIEUX, *à Arthur et Victor.* – Vous voyez, la maison n'est pas méchante, l'entente y règne et la liberté.
Alors, maintenant que vous connaissez le chemin...

> *Il les congédie et se tourne en riant vers
> M. Roger. Arthur et Victor sortent d'un pas
> de somnambules.*
>
> *Obscurité. Puis deux projecteurs se ral-
> lument, éclairant uniquement Arthur et Victor
> qui vont échanger toutes leurs répliques en
> marchant, s'arrêtant, repartant, etc.*

VICTOR. – Arthur, je t'en prie, cesse d'épiloguer.
Que veux-tu? Quand je rencontre, installé dans un
bureau, secrétaire et ami du directeur, un garçon qui,
la semaine dernière encore, était presque clochard, je
considère l'affaire comme classée.

ARTHUR. – Oui, c'est insensé, mais... Mais je voudrais tout de même essayer de comprendre... Comment
se fait-il qu'en si peu de temps, ce Monsieur Roger...

VICTOR. – Oh, c'est le processus classique. On prend
le genre bohème jusqu'à un âge X, mais un beau jour
la famille s'inquiète : il faut caser le petit. Rien de
plus facile : papa est actionnaire dans un consortium...
Tu vois la suite.

ARTHUR. – Mais comment admets-tu que tout cela,
la décision de la famille, le jeu des relations, l'installa-
tion du secrétaire, se soit passé...

VICTOR. – Remarque, nous ne savons pas quelle
était sa situation exacte la semaine dernière. On peut
aussi supposer qu'il fait, depuis longtemps, ce travail
en amateur, et qu'à ses moments perdus, il joue le
vagabond pour séduire les jeunes personnes roman-
tiques.

ARTHUR. — Oui, mais dans ce cas, Mademoiselle Annette, du moins si elle est aussi romantique que tu le crois, n'aurait pas parlé de lui avec tant de chaleur. Et d'autre part, Sutter l'aurait reconnu. A moins, évidemment, que Sutter, comme je l'ai toujours pensé, n'ait jamais mis...

VICTOR. — Alors, selon toi, nous aurions vu, chez Madame Duranty, au même moment, un homme qui se vantait d'être l'ami du Vieux, et qui ne l'était pas, et un autre qui était le secrétaire du même Vieux, et qui ne le disait pas. C'est tout simplement délirant !

ARTHUR, *pensif*. — Et de plus... ils auraient fait semblant... de ne pas se connaître... En effet, c'est improbable. *(Pause.)* Quoique, après tout, avec Sutter... *(Pause.)* Seulement si j'apprends que mon idée, cette idée qui représentait pour nous une chance absolument inespérée, nous a été ...volée par...

VICTOR. — Arthur, je vois très bien ce qui se passe dans ta tête.

ARTHUR. — Je n'affirme rien, mais avoue qu'il y a tout de même quelque chose d'étrange... et qu'on peut se permettre ...certaines suppositions.

VICTOR. — Pas celle-là, en tout cas. Car rappelle-toi, au moment où l'idée nous est venue, Sutter était déjà parti.

ARTHUR. — Et tu en conclus ?

VICTOR. — Que tu ferais bien de lutter contre une tendance que tu as à la manie de la persécution. *(Pause.)* Suppose aussi, pendant que tu y es, que Monsieur Roger doit sa place auprès du Vieux...

ARTHUR. — Le Vieux ! Je me demande pourquoi il nous a dit de revenir ? Ou plutôt, je m'en doute. On fait appel aux gens de l'extérieur, ils apportent leurs idées en toute confiance et, quelques mois plus tard, ils apprennent qu'elles ont été réalisées au profit de quelqu'un d'autre, de... Dieu sait qui... C'est trop ignoble. *(Pause.)* Tu as raison, nous n'y retournerons plus.

TROISIÈME TABLEAU

L'ÉTABLISSEMENT DE BAINS

A gauche, la caisse : savonnettes, serviettes, etc. Près de la caisse, une corbeille d'osier. A droite, une banquette.
Mme Duranty est assise derrière la caisse.
Entre à gauche Sutter, achevant de se rhabiller, une serviette sur l'épaule.

SUTTER. – Vous feriez bien de surveiller vos prises de courant, Madame Duranty. Un peu plus, et Sutter montait sur la chaise électrique. Fiez-vous donc à vos amis !

Il rit et jette sa serviette dans la corbeille.

MADAME DURANTY. – Je sais, le contact se fait de travers, mais qu'est-ce que j'y peux ? Ah, j'ai été bien inspirée le jour où j'ai échangé ma petite « Espérance » contre ce bain-douche de malheur ! Et vous pouvez me croire, Monsieur Sutter, j'ai demandé trois fois l'électricien. Je fais mon devoir, ce n'est pas comme vous, Monsieur Sutter. Vous voyez, toujours pas là, mon appareil. Remarquez, j'aurais dû me méfier, avec ce maudit « Tilt ! » Quand les clients voient ce mot-là, ils perdent la tête, et c'est à coups de pied qu'ils y vont. Belle invention ! Celui qui a trouvé ça ! *(Pause.)* Et vous qui deviez me le faire réparer en deux jours !

SUTTER. – Étonnant !

MADAME DURANTY. – Oui, étonnant, comme vous dites ! Vous qui faites pleuvoir et venter au Consortium ! Seulement vous, ce qui vous intéressait, c'était de caser Monsieur Roger ! *(Depuis un instant, Arthur et Victor sont apparus à droite, sur le seuil de la porte, et se regardent, affolés.)* Donner une situation pareille à un bon à rien, sous prétexte qu'il sait l'anglais! Tout de même!

> *Arthur et Victor, après une hésitation, s'approchent de Mme Duranty.*

SUTTER, *heureux de faire diversion.* — Alors, ça va, les amis? Moi, très bien. Enfin, aussi bien que ça peut aller quand on a beaucoup de travail sur le dos, et pas le temps matériel d'y faire face. *(Pause.)* Et vos affaires, à tous les deux? Pas brillantes, on dirait. Eh oui, les temps sont durs. Pourtant, vous parlez couramment l'anglais, et l'anglais, c'est un peu le « Sésame ouvre-toi » du monde moderne. *(Pause, puis à Arthur :)* Vous donnez bien des leçons d'anglais, n'est-ce pas?

ARTHUR. — Je regrette de devoir vous contredire, mais il se trouve que je n'ai jamais enseigné l'anglais. De plus, je ne suis professeur que très momentanément, Dieu merci.

VICTOR. — Et puis, entre nous, je crains que vous ne surestimiez l'importance de l'anglais. En tout cas, j'admets difficilement que le premier incapable venu puisse accéder...

SUTTER. — Tout à fait mòn avis! Mais comment savez-vous que j'ai casé le petit au Consortium? Madame Duranty, je vous soupçonne de bavarder, aux heures de répit que vous laissent vos douleurs. Légèreté, voilà où tu nous mènes!

> *Entre Annette, à gauche, les cheveux mouillés, une serviette à la main. Arthur et Victor se poussent du coude.*

ANNETTE, *aussitôt, à Sutter, avec rage.* — Tiens! Il suffit de ne pas vous chercher pour vous trouver, vous!

SUTTER, *embarrassé.* — Annette, quelle étrange chose que le destin! Ainsi, nous nous lavions à deux pas l'un de l'autre, et rien, rien, ne nous avait avertis... *(D'un ton de reproche.)* Madame Duranty...

MADAME DURANTY. — Eh bien, vous voyez qu'elle n'est pas si bavarde que ça, Madame Duranty!

ANNETTE, *à Sutter.* — En tout cas, mon cher, je vous avertis que, pour moi, les promesses non tenues...

SUTTER. – Pitié! Déjà ces jeunes gens, tout à l'heure, s'érigeaient en tribunal pour juger votre malheureux ami...

ANNETTE, *à Arthur et Victor dépassés par les événements.* – Ah! vous aussi, vous êtes en rapports d'affaires avec Monsieur? Eh bien, je vous plains!

ARTHUR, *précipitamment.* – Non, non, nous avons rencontré Monsieur tout à fait par hasard. Nous étions simplement venus chez Madame Duranty, un peu dans l'espoir, je l'avoue, que son appareil...

SUTTER. – Ne retournons pas le fer dans la plaie de Madame Duranty!

Il rit.

MADAME DURANTY. – Il n'y a pas de quoi rire, Monsieur Sutter.

SUTTER. – Impatiente comme une jeune fille!

ANNETTE. – Impatients, les simples mortels le seraient moins si personne ne les entraînait dans le monde surnaturel des interventions éclair.

> *Sutter lève les bras au ciel et se met à marcher en gesticulant. Arthur et Victor bouillonnent.*

ARTHUR, *s'approchant résolument d'Annette.* – Vous allez... sans doute... me trouver indiscret, mais je devine, ou du moins je crois deviner, que... que vous avez des ennuis assez graves, assez pressants. Et cela me surprend, d'autant plus que j'ai gardé de vous une image qui était...

VICTOR. – Ne dis pas de bêtises, Arthur. Ce n'est pas parce que nous avons une fois vu Mademoiselle jouer tranquillement à l'appareil...

ANNETTE. – En tout cas, vous avez peu de chances d'assister de nouveau à ce gracieux spectacle.

MADAME DURANTY, *à Arthur et Victor.* – Elle n'est pas comme vous, Annette. Quand Madame Duranty n'a pas son appareil...

ARTHUR, *à Annette.* – Vraiment... vous... ne jouez plus? Du tout? Parce que...

ANNETTE. – Demandez donc à Sutter pourquoi je n'ai plus le cœur à jouer.

Mme Duranty se retire de la conversation et somnole. Arthur et Victor se consultent du regard et s'approchent de Sutter, qu'ils n'osent pourtant pas questionner. Sutter a cessé de marcher quand Annette a prononcé son nom.

SUTTER, *chassant Arthur et Victor comme on chasse des mouches.* – Voyons, Annette, comprenez-moi, faites un effort. Bien sûr, j'aurais pu parler de vous, cent fois, mille fois, mais je connais mon homme, la vie qu'il mène, la sarabande des idées dans sa tête. Il faut savoir attendre, épier le moment propice, le grand moment. *(Pause.)* Est-ce si terrible de patienter cinq semaines, voyons large, disons six, puisque vous savez maintenant que vous allez lui dire adieu, à votre cinéma.

ANNETTE. – De mieux en mieux! Après les jours, les semaines.

VICTOR, *reprenant courage.* – Il est évident que Mademoiselle ayant assisté, dans son entourage immédiat, à une ascension foudroyante...

SUTTER. – De bien grands mots pour de petites choses!

ARTHUR. – Pour moi, en tout cas, plaisir et succès...

SUTTER. – Ah, le succès, ou plutôt l'idée que s'en font couramment les hommes! Voilà l'ennemi numéro un. *(A Annette.)* Où est-il, le vrai succès? Dans la communication. Se sentir proche des autres, lire leurs pensées, pressentir leur destin — mais oui, Annette...

Arthur et Victor ont un mouvement de découragement.

ANNETTE. – Vous êtes content de vous, quoi!

SUTTER. – Maldonne! Je n'ai pas dit que je triomphe toujours là où les autres échouent. Moi aussi, parfois, hélas!... *(Plus bas.)* J'avais un fils, on s'aimait, on se comprenait, on se promenait à travers la campagne; eh bien, ce fils, à l'âge de quatorze ans, est tombé dans le Léman.

MADAME DURANTY, *sortant très provisoirement de sa somnolence.* – A quatorze ans! Le pauvre petit! Et moi qui étais malade à Vevey...

SUTTER. — Et moi, moi, à Lausanne, je vivais, sans me douter de rien.

ANNETTE. — Vous m'excuserez, mais vos douleurs helvétiques me laissent totalement indifférente.

Arthur et Victor rient, chuchotent.

SUTTER. — Annette, une fois de plus, vous me comprenez mal. Si j'ai évoqué devant vous cette triste aventure, c'était simplement pour que vous connaissiez Sutter jusque dans ses faiblesses.

Annette, Arthur et Victor rient.

SUTTER, *s'approchant d'Arthur et de Victor, agressif.* — Toujours impétueux, vous autres! Je me souviens pourtant d'un certain jour — vous étiez des nôtres, Annette — où cette impétuosité... Mauvais souvenir, pardon! *(Pause.)* Un conseil, toutefois, jeunes gens : quand la machine résiste, ne vous hâtez pas d'accuser la machine; demandez-vous plutôt si vous n'en auriez pas négligé un rouage. Je ne sais pas... *(Frappant sur l'épaule d'Arthur.)* Les flippers du haut, par exemple.

ARTHUR, *éclatant.* — Nous... nous ne plaçons pas la victoire sur ce terrain-là, et peut-être un jour...

Victor, prudemment, tire Arthur par sa veste.

SUTTER. — Un jour! Qu'est-ce que ça signifie? Vivez dans le présent, nom de Dieu, essayez! *(Dans un profond soupir.)* J'y arrive bien, moi.

ANNETTE. — Vous, peut-être, mais pas moi. Et comme je n'ai aucune prédilection pour le rôle de la gentille victime bernée par le méchant monsieur...

Elle fait mine de vouloir sortir, Arthur et Victor abasourdis n'ont aucune réaction.

SUTTER. — En somme, Annette, vous me retirez votre confiance. Et pourquoi? Simplement parce que je ne suis pas de ceux qui, au fur et à mesure des démarches qu'ils font ou ne font pas, tiennent au courant leurs futurs obligés. Non, telles ne sont pas mes méthodes. Sur ce...

Il s'apprête à sortir pour devancer Annette qui, du reste, ne bouge plus.

ANNETTE. – Ne vous fâchez pas... Je m'emporte un peu vite, peut-être, mais comment vous faire comprendre... *(Pause.)* Écoutez... Le mieux serait que nous nous expliquions... clairement, calmement. Partons ensemble, voulez-vous?

SUTTER. – Ce qu'Annette veut, Sutter le veut!

Mimique entre Arthur et Victor, de plus en plus désemparés.

ANNETTE. – Au revoir, Madame Duranty. Messieurs...

SUTTER. – Au revoir, Madame Duranty, à la prochaine!

MADAME DURANTY, *sortant de sa somnolence.* – Au revoir, ma petite Annie. Vous ne m'oubliez pas, Monsieur Sutter, n'est-ce pas?

SUTTER. – Promis, promis! *(Puis, se retournant, à Arthur et Victor.)* Bonne chance, les amis. Et gare aux flippers!

Il sort derrière Annette, à droite.

ARTHUR, *tremblant de rage.* – C'est... c'est le comble! Comment ose-t-il? Cette fois, tu ne vas pas me dire...

VICTOR. – Ah non, pas de discours! C'est assez pour aujourd'hui. Et puis quoi? Il a trouvé le système : écraser les petits pour impressionner les filles. Tu vois bien qu'il la tient sous sa coupe, celle-là. Elle a besoin de lui. Donc...

ARTHUR. – Besoin de lui! *(A Mme Duranty.)* Enfin, Madame Duranty, comment pouvez-vous laisser cette jeune fille, que vous aimez, compter sur un...

MADAME DURANTY. – Je compte bien sur lui, moi. Et puis Annette, depuis qu'elle s'est mis dans la tête d'entrer là-bas comme prospectrice...

ARTHUR. – Prospectrice!

VICTOR. – Pauvre enfant! Ce ne sont pourtant pas les relations qui lui manquent. Elle pourrait, par exemple, s'adresser à son ami Monsieur Roger qui, au Consortium...

MADAME DURANTY. – Vous me cassez tous les
oreilles, avec votre Consortium. *(Riant.)* Vous voudriez y aller aussi, peut-être ?

ARTHUR. – Non, nous ne voulons pas y aller, mais,
si bizarre que cela puisse vous paraître, nous y sommes
allés.

Victor tire Arthur par la manche.

MADAME DURANTY, *riant.* – Vous avez l'air de fameux hommes d'affaires, tous les deux ! *(Bruit de robinet, en coulisse.)* Bon, voilà que ça recommence ! Tou-
jour ce robinet d'eau chaude !

Elle sort à gauche en grommelant.

ARTHUR. – Évidemment, le Consortium, pour elle,
c'est Sutter. Pourtant, je ne rêve pas, nous y sommes
allés, et sans passer par Sutter. *(Découragé.)* Quand je
pense qu'il ne le saura jamais...

Il se laisse tomber sur la banquette.

VICTOR, *s'asseyant à côté d'Arthur.* – Heureusement,
car il saurait, par la même occasion, comment s'est
passée l'entrevue, et je n'ai pas besoin de te dire que
pour lui, c'est le résultat qui compte, le résultat présent.

ARTHUR *(il se lève brusquement, comme mû par un res-
sort et, parodiant Sutter).* – Vivez dans le présent, nom
de Dieu ! Et quel présent ! Les flippers du haut ! *(Pause,
puis éclatant de rire.)* Oh, Victor !

VICTOR, *se levant.* – Tu n'es pas fou ?

ARTHUR, *riant de plus en plus fort.* – Non, non, au
contraire ! Victor, j'ai une idée. *(Il rit tellement qu'il
peut à peine parler.)* Puisqu'il les aime tant, ses flippers
du haut, tu sais ce qu'on va faire ? On va les lui supprimer, pour de bon !

VICTOR. – Je t'en prie !

ARTHUR, *provocant.* – Quoi ? C'est une idée comme
une autre. Et puis, qu'est-ce qu'on risque ? Que le
Vieux...

VICTOR. – Alors, c'est sérieux ? Tu veux... retourner là-bas ?...

QUATRIÈME TABLEAU

LE MAGASIN DE CHAUSSURES

D'abord, les projecteurs éclairent uniquement Arthur et Victor. Tous les deux marchent, mais en sens opposé. Quand ils se rencontrent, ils parlent; parfois, cependant, l'un parle tandis que l'autre marche, etc. Victor porte une veste neuve, Arthur un foulard voyant.

VICTOR. – Oui, il l'a acceptée! Oui, il l'a payée! Et j'en suis aussi content que toi, tu peux me croire. Mais je ne peux pas trouver bonne une mauvaise idée, pour la seule raison qu'elle a plu au Vieux. *(Pause.)* Je maintiens, envers et contre tout, que la suppression des flippers du haut est une folie.

ARTHUR. – Écoute, Victor, tu me connais, tu sais que je n'ai pas coutume de lier la valeur au succès. Mais réfléchis, je t'en prie. Ne crois-tu pas que si le Vieux, qui connaît l'appareil mieux que personne, a été séduit par ma proposition, c'est qu'elle lui a paru objectivement satisfaisante. Et ne me dis pas qu'il s'est laissé influencer. J'ai peut-être une certaine force de persuasion, mais avec un homme comme celui-là... Non, je lui ai parlé très posément, au contraire. Et il a compris, comme tu devrais le comprendre, que dans un appareil bien conçu, les flippers du bas ont assez de force pour renvoyer la bille jusqu'en haut, et que, par conséquent, le joueur, même privé des flippers du haut, n'est en aucun cas réduit à la passivité. Son attente est plus longue, bien sûr, mais c'est une attente passionnée, et au cours de laquelle son regard non seulement...

VICTOR. – Mon cher Arthur, je te dispense de me redonner la version intégrale d'un discours que j'ai

parfaitement entendu tout à l'heure dans le bureau
du Vieux.

ARTHUR. – Ah, tu m'écoutais ? Eh bien, ça m'étonne,
car j'ai eu l'impression, assez nette, que tu te désin-
téressais complètement de moi. Tu étais, du reste,
beaucoup trop occupé à contredire Monsieur Roger
et à l'agacer, pour prêter attention à quoi que ce soit
d'autre. Je me demande, d'ailleurs, ce qui te permet...

VICTOR. – Excuse-moi, j'avais oublié que tout
homme cher à la dame de tes pensées devient automatiquement pour toi un objet de respect.

ARTHUR. – Ne dis pas de bêtises. Je n'ai aucun respect pour ce jeune homme, mais nous n'avons aucune
raison, non plus, de lui en vouloir. Il se tient à sa
place, il écoute, il n'essaye jamais de se mettre en
avant... et si tout le monde faisait comme lui...

VICTOR. – Ne ménage pas tes effets, Arthur. Je sais
très bien que ce « tout le monde », dans ta bouche,
signifie Sutter. Et je commence à m'inquiéter pour
ton équilibre. Car il n'est tout de même pas normal
que la seule existence de Sutter...

ARTHUR. – Une existence qui, en tout cas, ne se
manifeste pas beaucoup au Consortium. Car tu as dû
remarquer, comme moi, qu'on ne le rencontre guère
là-bas. Je sais que nous y sommes allés seulement deux
fois, et que cela ne prouve pas absolument...

Il trébuche.

VICTOR. – Qu'est-ce qui t'arrive ?

ARTHUR, *montrant son soulier.* – Ma semelle s'en va.

> *Victor rit; le rire de Victor gagne Arthur :
> ils sont réconciliés.*

Tu vois, c'est tout de même bien agréable d'avoir
un peu d'argent. *(Pause.)* Que dirais-tu si je décidais
d'acheter des chaussures ?

VICTOR. – Je ne saurais trop t'encourager dans
cette voie. Mais de grâce, ne les achète pas n'importe
où.

> *Obscurité. Puis la scène tout entière s'éclaire.
> Un magasin de chaussures. Quelques chaises.
> A terre, quelques cartons. Arthur, sur une chaise,*

à gauche, pose un pied déchaussé sur le petit tabouret où Annette, maintenant vendeuse, est assise. Victor est assis à côté d'Arthur.

ARTHUR, *tandis qu'Annette lui essaye une chaussure.* — Ce qui m'étonne le plus, voyez-vous, c'est la façon dont les choses se sont enchaînées. Notez bien que je crois aux séries, comme tout le monde, plus encore, peut-être, que tout le monde. Je suis absolument convaincu, par exemple, qu'un bonheur en entraîne un autre. C'est bien simple, ce matin, aussitôt après notre victoire, l'idée m'est venue que si je passais chez Madame Duranty, je risquais de vous y rencontrer. Et puis, je ne sais pas pourquoi, la fantaisie m'a pris de vouloir acheter des chaussures. *(Annette et Victor rient.)* Oh, je ne prétends pas avoir eu le pressentiment...

VICTOR. — Je suis heureux de te l'entendre dire. Car en réalité, tu as été aussi stupéfait que moi en trouvant Mademoiselle dans ce magasin.

ARTHUR. — Naturellement, personne au monde n'aurait pu prévoir...

ANNETTE, *se levant.* — Savez-vous que vous êtes extraordinaires, tous les deux ? Pourquoi une ouvreuse ne pourrait-elle pas, un beau jour, devenir vendeuse ? Vous aussi, vous avez changé de métier, et d'une façon spectaculaire. Entrer, sans coup férir, au Consortium, s'y imposer, obtenir un contrat...

VICTOR, *se levant.* — Je crains que vous ne nous ayez pas tout à fait compris, Mademoiselle Annette. Aucun changement n'est étonnant en soi ; et de plus, nous savions déjà que vous envisagiez d'abandonner votre ancienne situation. Simplement, nous avions cru deviner que votre désir...

ANNETTE. — Ah, vous en êtes encore à l'époque Sutter ! Dieu, que c'est loin ! *(Riant.)* Au fait, ce délicieux caballero serait-il pour quelque chose...

ARTHUR, *se levant brusquement, un pied déchaussé.* — Sutter ! Vous plaisantez !

Il se rassied.

VICTOR. — Non, nous ne devons rien à Sutter, ni à

personne. Nous nous sommes introduits au Consortium par nos propres moyens.

Il se rassied.

ANNETTE. – Eh bien, on peut dire que vous avez eu de la chance.

Elle se rassied sur son tabouret.

ARTHUR, *tandis qu'Annette lui essaye une autre chaussure.* – Plus de chance, certainement, que si nous nous étions adressés au « délicieux caballero ».

Annette et Arthur rient.

VICTOR. – Comme vous y allez, tous les deux! Sutter est insupportable, d'accord, mais il nous a prouvé que dans certains cas...

Entre M. Roger à droite.

MONSIEUR ROGER. – J'espère que je ne vous dérange pas, Annie.

Stupeur d'Arthur et de Victor.

ANNETTE. – Pas du tout, Roger. Je suis très contente, au contraire... Je m'attendais si peu... Je suis à vous dans un instant. *(A Arthur dont, tout à coup, elle veut se débarrasser.)* Vous prenez celles-ci, n'est-ce pas?

ARTHUR. – A vrai dire, je me demande si... si je ne préférais pas les autres. Vous savez, les premières...

Annette va chercher un carton.

MONSIEUR ROGER, *s'asseyant, à Annette.* – Ne vous pressez pas, j'ai tout mon temps. Je ne suis pas tenu à des heures de présence strictes, Dieu merci.

ARTHUR, *que Victor a poussé du coude, à M. Roger.* – Vous voyez, notre rencontre de ce matin a entraîné... *(il montre la chaussure qu'il porte à l'un de ses pieds; M. Roger rit très légèrement)* celle de ce soir. Si Monsieur Constantin et vous, n'aviez pas... il est probable que jamais... en tout cas, pas aujourd'hui...

VICTOR, *à Arthur, mais à l'intention de M. Roger.* – Tu sais, je ne suis pas sûr que cet entretien... *(A M. Roger.)* J'étais précisément en train d'expliquer à mon ami que si le Consortium attend de nous une collaboration régulière, il faudrait d'ores et déjà qu'un contrat...

Monsieur Roger. – Excusez-moi, mais je me suis donné pour règle de ne parler d'affaires qu'au bureau. *(Haussant la voix, à Annette.)* Vous êtes témoin, Annette, je ne me laisse pas dévorer par mes obligations sociales.

> *Victor, furieux, se rassied, Annette revient, un carton à la main.*

Annette, *à Arthur.* – C'étaient celles-ci, je crois. *(A M. Roger.)* C'est gentil d'être venu me voir *(riant)* avant terme.

Monsieur Roger. – A vrai dire, Annie, je suis venu pour vous faire la morale.

Annette. – Je... je ne vois pas pourquoi. Ma demande n'avait rien que de très normal.

> *Arthur et Victor dressent l'oreille.*

Monsieur Roger. – Enfin, me voyez-vous, moi, insistant auprès de Monsieur Constantin *(riant)* pour qu'il fasse réparer un appareil *(méprisant)* à crédit? Évidemment, il accepterait, mais je n'ai pas envie d'entrer dans le monde des services offerts, prêtés, rendus... Je n'aime déjà pas la comptabilité en général, mais celle-là!

Annette. – Dites que vous ne voulez rien faire pour Madame Duranty; ce serait plus franc, et ça me ferait moins de peine.

Monsieur Roger. – Je n'ai rien contre cette dame. Elle m'a toujours beaucoup agacé, simplement. Ses extases perpétuelles devant l'appareil...

> *Il rit légèrement.*

Annette. – Mais si les appareils vous tapent sur le système, mon cher Roger, qu'êtes-vous allé faire au Consortium? Vous auriez pu trouver mille autres occasions de déployer vos talents, et de vous faire une place dans la société.

Monsieur Roger. – Ne soyez pas ridicule, Annie; vous savez bien comment cela s'est passé.

Annette. – Allons donc! On n'accepte pas de devenir secrétaire particulier pour gagner un pari contre Sutter. *(Arthur et Victor se livrent à une mimique extravagante.)* Et puis, toute cette affaire me paraît louche :

(Parodiant M. Roger.) « J'accepte sous certaines conditions, je viens quand je peux, je pars quand je veux, je ne m'occupe de rien. » Ce ne sont pas des discours comme ceux-là qui décident un patron, l'employé fût-il très charmant, et capable de baragouiner l'anglais. A d'autres, Mister Roger !

MONSIEUR ROGER. — Je suppose que le Vieux avait ses raisons, Annie.

Il s'apprête à sortir.

ANNETTE. — Ah oui, des raisons mystérieuses, qui lui font recruter son personnel parmi les jeunes gens ignorant tout de l'appareil.

MONSIEUR ROGER. — Qui vous dit qu'entre temps je n'ai pas fait mon apprentissage ?

ANNETTE. — Vraiment, vous y êtes venu, à votre tour ? *(Riant.)* Vous osez vous produire dans les cafés, vous ? Mais non, que je suis bête ! A présent, il y a les stands ! Excellent pour les novices qui veulent s'exercer ! Et puis on a le choix ! Si ça ne marche pas avec l'un, on peut toujours en essayer un autre. *(Arrachant la fleur que M. Roger porte toujours à sa boutonnière, et sanglotant.)* Mais n'y allez pas comme ça, vous pourriez vous faire mal voir. Le public de ces endroits-là !

> *M. Roger, très digne, ramasse sa fleur et sort à droite. Annette s'assied sur son tabouret et pleure, la tête entre les mains. Arthur et Victor, qui ont suivi la scène, affolés et impuissants, se consultent du geste et du regard : peut-on s'approcher d'Annette ?*

ARTHUR, *se levant.* — Pardon, nous devrions peut-être vous laisser seule, mais il me semble, à tort ou à raison, que, dans des circonstances comme celle-là, le mieux est encore de parler. Oh, je ne veux pas essayer de vous consoler, mais je sais, par expérience, qu'on a toujours tendance à surestimer, sur le moment, la gravité...

VICTOR, *se levant, à Arthur.* — Tu en parles à ton aise... Moi, j'imagine très bien qu'en pareil cas...

ANNETTE, *relevant la tête.* — Excusez-moi. Jouer une

scène pareille! Moi qui ai une sainte horreur des démonstrations en public...

ARTHUR. – Vous avez dû nous trouver très lâches... Nous aurions dû intervenir, dire quelque chose... Mais comment... vous faire comprendre... Notre situation là-bas...

VICTOR, *à Arthur*. – Qu'est-ce que tu vas encore chercher? *(A Annette.)* La vérité, c'est que pour intervenir utilement, nous manquions de données. Il ne suffit pas de savoir que l'appareil de Madame Duranty...

ANNETTE, *se levant, brutalement*. – Il s'agit bien de Madame Duranty! Vous ne comprenez donc rien?

VICTOR. – Pas grand-chose, en effet, mais il ne tient qu'à vous de nous expliquer...

ANNETTE. – Il n'y a rien à expliquer, sinon que je suis fatiguée d'essuyer les affronts de tous ces gens. L'appareil? Mais je le connais mieux qu'eux, et ils prennent de grands airs parce que je me permets de solliciter un misérable emploi de prospectrice.

> *Annette se rassied sur son tabouret et recommence à pleurer.*

ARTHUR. – C'est d'autant plus inadmissible que vous n'êtes pas femme à solliciter un travail pour lequel vous ne seriez pas faite. Et puis, il suffit de vous avoir vue une fois... Vous parlez de l'appareil avec une telle passion...

VICTOR, *à Arthur*. – Ce qui compte, ce n'est pas la passion, mais l'intelligence. Or, il se trouve que Mademoiselle...

ANNETTE, *relevant la tête*. – Mais je ne suis ni passionnée ni intelligente. Je sais observer, c'est tout. Et non seulement l'appareil, les joueurs aussi! *(Se levant.)* Et si ces Messieurs voulaient bien faire appel à ma petite personne, je leur donnerais peut-être des renseignements précieux. Je leur apprendrais, par exemple, que les joueurs sont, *actuellement*, très mécontents.

ARTHUR. – Mécontents! Vous croyez? Mais pourquoi?...

VICTOR. – L'important, vous comprenez, serait de savoir sur quel point précis...

ANNETTE. — Mais sur le principe même! En effet, c'est idiot; on joue, on essaye de comprendre, et on ne sait jamais où on en est, si on gagne, si on perd, si on a encore une petite chance, si on n'en a aucune...

VICTOR. — N'exagérons rien. Il y a une façon très simple de suivre la partie : regarder les chiffres qui s'inscrivent au tableau. Si le joueur ne sait même pas lire les chiffres...

ARTHUR. — Les chiffres! Tu oublies que, parfois, on n'a même pas le temps de les voir. (Se tournant vers Annette.) Oui, j'ai remarqué, personnellement, qu'il est difficile de surveiller à la fois le terrain de jeu et le tableau... On lève bien les yeux...

ANNETTE. — Oui, mais le chiffre est déjà effacé. Il fait place à un autre qui, à son tour, disparaît, avant même qu'on ait le temps de le lire. (Elle s'assied sur une chaise, à gauche, puis, importante :) Non, ce qui manque au tableau, ce sont les images. Tout le monde vous le dira, d'ailleurs.

VICTOR. — Je n'ai jamais entendu de telles réflexions, et de plus, moi, joueur, je ne me les suis jamais faites.

ARTHUR. — Moi non plus, jusqu'à présent. Pourtant, je sentais, obscurément, que quelque chose n'allait pas, enfin... qu'il manquait quelque chose... (Pause. Il réfléchit.) Peut-être une image concrète, une image frappante...

ANNETTE, se levant et s'approchant d'Arthur. — Et agréable à regarder, tout en donnant une idée précise de la situation.

ARTHUR, toujours debout, après une longue pause se frappant le front. — Une fusée, une lune.

VICTOR, indigné. — La lune?

ARTHUR. — Une lune et une fusée, oui. (Pause. Il réfléchit.) Et quand la fusée atteindra la lune, alors...

ANNETTE, riant gentiment. — Alors?

ARTHUR, brusquement. — Alors la lune s'éclairera.

ANNETTE, se penchant, coquette, vers Arthur. — Et quand elle s'éclairera?

ARTHUR, après une pause, réfléchissant. — On aura droit à une nouvelle partie.

ANNETTE, riant. — Ce n'est pas bête!

VICTOR, furieux. — Excuse-moi, cher Arthur, de

couper court à ton euphorie, mais cette idée me paraît pour le moins puérile.

ANNETTE, *à Victor.* – Tandis que pour vous, homme évolué, le jeu est une leçon d'arithmétique. Mais que veulent les gens? S'amuser, voyons!

> *Victor se met à marcher, les mains dans les poches : il affiche son mépris.*

ARTHUR, *après une pause, réfléchissant.* – Il y aura deux fusées : une fusée immobile, la fusée témoin, et une autre qui, à chaque coup gagné, s'élèvera, se rapprochera...

> *Annette se rapproche encore d'Arthur et lui pose la main sur l'épaule.*

... Jusqu'à atteindre, enfin, la lune...

ANNETTE, *prenant la main d'Arthur.* – ...qui aussitôt s'éclairera.

ARTHUR, *flatté et ravi, gardant la main d'Annette dans la sienne.* – Donc, entre les deux fusées, la distance grandira, progressivement...

ANNETTE, *approchant son visage de celui d'Arthur avec un rire voluptueux.* – ...tandis qu'entre la seconde fusée et la lune, au contraire... *(Elle rit.)* C'est ça?

ARTHUR, *aux anges, riant.* – Mais oui, c'est ça! Absolument ça! *(Brusquement sérieux.)* Vous savez, Annette, c'est une très belle idée que je... que nous venons d'avoir là. *(Se tournant vers Victor qui s'est arrêté à une certaine distance et a suivi la scène en ricanant.)* Et je suis à peu près sûr, Victor, que, si nous la proposons au Vieux... *(Victor ne bronche pas; Arthur revient à Annette.)* Mais j'y pense! Annette, c'est l'occasion, ou jamais, de lui parler de vous!

CINQUIÈME TABLEAU

LE CONSORTIUM

*Le bureau du Vieux. Le Vieux est assis dans son fauteuil.
A gauche, M. Roger, debout, des papiers à la main. Assis
un peu à droite, comme au deuxième tableau, Arthur et Victor.*

Le Vieux, *se levant et abattant son poing sur la table, à
M. Roger.* – Laisser tomber les stands, c'est ça, ta formule? *(M. Roger baisse légèrement la tête.)* Seulement
ce que tu oublies, mon bonhomme, c'est que j'ai un
chiffre d'affaires, moi, un chiffre que je dois maintenir,
tout seul, à bout de bras! Et tu voudrais qu'au moment
où les beaux quartiers nous lâchent... Tu n'as pas lu
ça, peut-être? *(Il prend sur la table une feuille et lit :)*
« La clientèle assise se plaint de ce que les plaisirs
bruyants du comptoir... » La clientèle assise! Les
Monsieur Roger, quoi!

Monsieur Roger. – Je crains que vous ne drama-
tisiez un peu la situation... Ce n'est pas parce que
quelques établissements...

Le Vieux. – N'y en aurait-il qu'un! C'est le premier qui compte. Tu n'as pas encore compris, depuis
le temps?

M. Roger sort sans bruit, à gauche.

Oui, file, c'est plus prudent. *(Dans un soupir.)* Indé-
crottable! *(Se mettant à marcher, à Arthur et Victor qui
ont écouté son discours avec un mélange d'effroi et de plaisir.)*
Vous voyez où nous en sommes : les assis font la loi,
maintenant, et de quel droit? Est-ce la salle qui rapporte? Non, toujours, partout, le comptoir.

Il marche.

VICTOR, *faisant un pas vers le Vieux*. — Il est évident que... que la suppression de l'appareil entraînerait une désaffection immédiate du comptoir.

LE VIEUX, *se retournant brutalement*. — Ça crève les yeux, mais allez donc le leur expliquer !

Il marche.

ARTHUR, *suivant le Vieux, et suivi par Victor qui voudrait parler mais n'ose plus*. — Oui, il est toujours difficile de faire comprendre aux gens ce qui, précisément, devrait, pour reprendre votre expression, leur crever les yeux. Néanmoins, je suis persuadé qu'ils seraient obligés de reconnaître eux-mêmes l'indiscutable prépondérance du comptoir si l'intérêt suscité par l'appareil était encore plus grand, plus violent, plus constant, qu'il ne l'est aujourd'hui. Mais il faudrait pour cela que l'appareil devînt un centre d'attraction non seulement pour le joueur, mais aussi pour le spectateur. C'est pourquoi le projet que je vous ai soumis — très brièvement, du reste — répond assez bien aux exigences nouvelles dont nous parlons... En effet, la possibilité donnée au spectateur de suivre, par-dessus l'épaule du joueur, la progression de la partie, suscite un mouvement général et spontané qui profite immanquablement à l'appareil. Car, ainsi que je crois vous l'avoir expliqué, la fusée, en se propulsant...

SUTTER, *en coulisse*. — Constantin ! Constantin !

Le Vieux court, affolé, à sa table, s'assied et fait semblant de travailler. Arthur est frappé comme par la foudre. Victor aussi, du reste.

SUTTER, *surgissant à droite*. — Tu étais là, je le savais. *(Montrant une direction vague.)* Et lui, il voulait m'empêcher d'arriver jusqu'à toi. J'ai rompu le barrage. *(Pause.)* Tu es occupé, je vois. Mais je ne te prendrai qu'un instant. Une question de vie ou de mort.

LE VIEUX. — Excuse-moi, Sutter, mais je suis, en effet, très occupé. *(Montrant ses papiers.)* Pas le temps de te parler.

SUTTER. — Je ne te demande pas de me parler, mais de m'écouter. Une demi-minute ! Je réclame une demi-minute.

Le Vieux, *résigné.* – Combien te faut-il?

Sutter. – Eh bien, puisque nous ne pouvons plus nous rencontrer qu'en public... *(A Arthur et Victor.)* Bonjour, Messieurs... Quinze mille, oui, quinze mille, au minimum.

Le Vieux. – Quinze mille!

Sutter. – Laisse-moi t'expliquer. Éveline est malade, très malade! L'hôpital! D'urgence! Son mari? Précisément, elle ne l'a plus. Parti, jeudi dernier, comme un lâche! Une fois de plus, Sutter avait vu juste.

Le Vieux. – Mais je n'ai pas quinze mille francs, comme ça!

Sutter. – Pas sur toi, peut-être, mais tu peux les trouver. J'attendrai, une heure, deux heures s'il le faut. J'ai coupé tous les ponts, tu le sais. Une erreur, peut-être. Mais Sutter a sa fierté, tout comme un autre.

Le Vieux, *sortant son portefeuille.* – Voilà! Ça te permettra toujours de voir venir.

Sutter. – Encore mille francs. Tu les as, je les ai vus!

Le Vieux. – Impossible, mais... Passe un autre jour, si tu veux... Demain, après-demain, je ne sais pas.

Sutter. – Demain? Tu n'y penses pas! Les progrès de la maladie!

Le Vieux, *se levant, et les deux mains à plat sur la table.* – Pas un sou de plus! Tu n'auras pas un sou de plus!

Sutter. – Bon, je m'en vais. Merci quand même. *(Une fois à la porte, se retournant.)* Je compte sur toi. A demain, à demain!

Il sort.

Le Vieux, *soupirant, à Arthur et Victor qui reviennent difficilement à eux.* – Vous avez vu ma fatalité. *(S'épongeant le front.)* Quelle journée! *(Pause.)* Eh bien, vous parliez, tout à l'heure, continuez! Où en étiez-vous?

Arthur. – A... à la fusée... Je vous disais... qu'étant donné le principe de la progression à ciel ouvert, mon objectif : la lune...

Le Vieux, *se levant.* – Encore! Mais qu'est-ce que

vous espérez, à la fin, de cette histoire de lune... et de
fusée ?

ARTHUR. – Précisément, ce que je vous disais... Les
spectateurs, pouvant évaluer les progrès du joueur,
ont le sentiment d'être concernés, entraînés... Et le
seul fait d'y voir clair...

LE VIEUX. – Y voir clair! Et c'est pour me proposer
des choses pareilles que vous êtes venus ici, tous les
deux! *(Il se remet à marcher, puis, s'arrêtant.)* Une lune,
une fusée, après tout, pourquoi pas? Mais entre autres
choses, entre mille choses vivantes, contradictoires,
réelles...

ARTHUR, *debout, agitant ses mains dans le vide.* – Justement je voulais... ajouter...

LE VIEUX. – On n'ajoute rien à ce qui n'existe pas.
Et votre idée n'existe pas; elle est ridicule, simplette,
unilatérale! Bonne tout au plus à divertir les enfants
des écoles, et encore... *(Il marche.)* Qu'est-ce qu'ils
veulent, les enfants? Ressembler aux grandes personnes! Et comme elles, connaître l'incertitude, le
hasard, la vie en un mot.

VICTOR, *à Arthur, mais à l'intention du Vieux.* – En
effet, Arthur, il faut reconnaître que l'idée, du moins
telle que tu viens de la présenter, a quelque chose
d'incomplet, et je dirais même d'infantile. Du reste,
souviens-toi, mon opinion là-dessus n'a pas varié.
*(Faisant timidement un pas vers le Vieux qui marche tou-
jours, en proie à la plus grande agitation.)* Je me demande
pourtant si on ne pourrait pas considérer cette idée
comme un excellent point de départ. Qu'elle soit, en
soi, insuffisante, et, dans une certaine mesure, erro-
née, d'accord. Mais elle marque tout de même un
pas en avant, étant donné...

ARTHUR, *faisant un pas vers Victor.* – Excuse-moi,
mais mon idée n'est pas aussi rudimentaire que
Monsieur et toi semblez le croire. *(Marchant derrière
le Vieux, qui n'a cessé de marcher, et suivi à distance par
Victor.)* Et si j'avais eu le temps de vous parler tranquillement, si nous n'avions pas constamment été
interrompus, j'aurais, nécessairement, soulevé le problème des modalités. Par exemple, on peut très bien
imaginer que la lune... *(il réfléchit un instant)* une fois

atteinte par la fusée, s'éteigne avant de s'illuminer,
ce qui entraînerait la nécessité d'une étape supplémentaire. Autre avantage : quand la lune est éteinte
et la fusée disparue, le spectateur et même le joueur
inattentif peuvent s'abuser un instant, et croire que
rien ne s'est encore passé. Ainsi, vos critiques tombent
d'elles-mêmes, d'autant plus que l'avance de la fusée
n'exclut pas l'éventualité d'une victoire remportée
par une tout autre voie : celle de l'accumulation des
points. Nous avons donc deux possibilités...

LE VIEUX, *s'arrêtant et faisant face à Arthur.* – Deux
possibilités! *(Levant les bras.)* Mais il en faut dix,
quinze, cinquante! *(Avec désespoir.)* Au point où en
sont venues les choses, deux possibilités! *(Il marche.)*
Essayez de réfléchir! Les temps marchent, les idées se
compliquent, les désirs se multiplient! Et vous voudriez que les joueurs se contentent de l'avance régulière d'une fusée vers un but invariable! Non, ce n'est
pas ça qu'il leur faut. Qu'est-ce qu'il leur faut? Je
n'en sais rien, moi. Si je le savais, je ne ferais appel à
personne. Mais en tout cas, ils veulent du neuf, du
bizarre, du multiple! *(S'arrêtant et hurlant.)* Éteignez
les numéros dans l'ordre, pendant que vous y êtes!
(S'approchant d'Arthur et de Victor, abasourdis et terrorisés.)
Mais regardez autour de vous, nom de Dieu, levez la
tête. Est-ce les rentiers qui font fortune aujourd'hui,
par hasard? Et en reste-t-il, seulement, des rentiers?
Non, mais tous les jours, les champs de courses sont
envahis par une foule plus nombreuse, et quand je
dis les champs de courses, je pense aux affaires, aux
femmes, à la guerre, à tout ce qu'on aime, enfin, à
tout ce pourquoi on est prêt à mourir. *(D'une voix
tonitruante.)* Comprenez-vous?

Arthur et Victor, bouche bée, reculent.

SIXIÈME TABLEAU

LE SQUARE

A droite, un banc. Sur le banc, assis côte à côte, Annette, Arthur et Victor.

ANNETTE, *trop calme pour être rassurante.* — Je comprends très bien : l'ambiance n'était pas aux prospectrices. D'ailleurs, tout compte fait, ce n'est pas le moment d'entrer « dans la carrière ». Les dissensions intérieures, la défection des beaux quartiers, le développement monstrueux des stands, c'est plus qu'il n'en faut pour effrayer la petite bourgeoise que je suis, et l'inciter à attendre des jours plus sereins.

ARTHUR, *se levant.* — Écoute, Annette...

VICTOR, *se levant.* — Écoutez, ma chère enfant, nous avons fait le maximum, et je me demande qui, à notre place, se serait mieux débrouillé. Je vous assure que votre ami Roger n'était pas brillant non plus, et pour une fois son élégance naturelle...

ANNETTE, *toujours assise, avec un léger rire.* — ...ne l'a pas empêché d'être jeté à la porte, je sais. Et je sais également qu'un instant plus tard, Sutter...

SUTTER, *surgissant à droite.* — On parle encore de Sutter dans le monde ! On cherche, une fois de plus, à ternir sa réputation. Habitude, habitude, vieille mécanique rouillée. *(Se tournant vers Mme Duranty qui vient d'entrer à gauche en haletant.)* Tiens, une revenante !

MADAME DURANTY. — Je pourrais en dire autant de vous, Monsieur Sutter. *(Se tournant vers Arthur et Victor.)* Et vous voilà tous à tu et à toi, maintenant ! *(Glapissant.)* Alors, mon appareil ?

ARTHUR. — Madame Duranty, nous étions précisément en train... Enfin, nous venions justement d'expliquer à Annette que...

Madame Duranty. — Que quoi ? Qu'il faut encore attendre ? Oh, je me doutais du coup ! Je me disais : si on ne les revoit plus, ces deux-là, c'est qu'ils n'ont pas la conscience tranquille.

Victor. — Je vous en prie, Madame Duranty, n'exagérez pas.

Madame Duranty. — Alors, c'est moi qui exagère ? Vous me faites des promesses, vous ne les tenez pas, je dois encore galoper après vous, à l'âge que j'ai, dans l'état où je suis, et c'est moi qui exagère ! *(Pause.)* Ce n'est pas vrai, peut-être ? Vous ne m'aviez pas promis que j'aurais mon appareil, Monsieur Arthur ? *(Parodiant Arthur.)* « Du crédit pour vous, Madame Duranty ? Naturellement ! Nous en touchons un mot là-bas, et tout est arrangé. » Tu te souviens, Annette, tu étais là. *(Annette rit.)* Et vous aussi, Monsieur Victor, vous étiez là.

Victor. — Madame Duranty, il me semble que vous connaissez Arthur depuis assez longtemps...

Arthur, *à Victor.* — Comment pouvais-je deviner ? *(A Mme Duranty.)* Croyez-moi, Madame Duranty, j'aurais aimé tenir cet engagement, que j'ai pris par pure gentillesse, d'ailleurs. Car ce n'était nullement, pour moi, un devoir...

Annette, *à Sutter qui, depuis un moment, marche, regarde, se gratte et rit.* — Devoir ! Quel vocabulaire périmé, n'est-ce pas, Sutter ?

Sutter. — Oh, les mots ! Tous des pièges !

Madame Duranty, *à Arthur et Victor.* — En tout cas, autrefois vous parliez moins, et *(riant méchamment)* vous agissiez plus. Ce que vous faisiez d'habitude, je n'en sais rien, mais dès qu'il s'agissait de casser un appareil, vous étiez un peu là... Et moi, grosse bête, qui ne disais rien...

Victor. — Vous confondez les époques, Madame Duranty. Je ne vois pas le rapport entre ce qui se passait à « l'Espérance »...

Sutter. — « L'Espérance ! » Que de souvenirs j'en ai gardés ! *(Étendant les bras.)* C'est là que nous nous sommes connus, tous. Vous, Annette — oh, je sais, je me rappelle. *(Annette rit.)* Et vous, mes amis, fougueux, innocents...

MADAME DURANTY. — Innocents ? Pensez-vous ! Ils
ne manquaient pas une occasion de me tirer les vers
du nez pour savoir ce qui se passait au Consortium.
Et maintenant qu'ils y sont...

SUTTER. — Et maintenant qu'ils y sont, ils mé-
prisent Sutter, grâce à qui, pourtant — par la bande,
je veux bien, mais tout de même... — ils ont connu
Constantin. *(Pause.)* Je m'attendais, je l'avoue, à un
geste, non de reconnaissance, je n'en demande pas
tant, mais d'amitié. J'ai attendu, rien n'est venu.
(Soupirant.) Tant pis.

Annette rit.

ARTHUR, *qui s'est contenu longtemps, s'approchant de
Sutter.* — Alors, vous voudriez que quand vous faites
irruption en plein Consortium, dans... dans le bureau
même où le Vieux nous reçoit, et au beau milieu
d'une discussion dont l'issue...

Victor tire Arthur par la manche.

MADAME DURANTY. — Tu les entends, Annette ! Ils
se rencontrent au Consortium, toute la sainte journée !

ANNETTE *(elle se lève et explose).* — Oh oui, ils se rencontrent ! Mais pas au Consortium... Comment voulez-vous ? *(Montrant Sutter.)* Il y a longtemps que
celui-là n'ose plus s'y aventurer, et *(montrant Arthur et
Victor)* les deux autres, c'est encore mieux ; ils n'y ont
jamais mis les pieds. *(Riant.)* Ils comptaient même
sur moi pour les introduire, figurez-vous. Oui, ces
Messieurs avaient besoin de chaussures au moment
précis où Roger venait me voir. *(A Arthur et Victor.)*
Seulement, avec Roger, vous tombiez mal ! *(Sanglotant.)* Il sait que personne ne peut rien pour personne,
Roger !

Elle se sauve en courant et sort à gauche.

ARTHUR. — Annette !

*Il veut s'élancer à la poursuite d'Annette,
mais Victor le retient par sa veste.*

MADAME DURANTY, *courant après Annette.* — Annette !
Qu'est-ce qui se passe ? Ma petite Annie, il ne faut

pas... pour Madame Duranty... Aïe, mes pauvres jambes! *(Se retournant.)* Vous pouvez être fiers de vous, tous les trois!

Elle sort à gauche.

SUTTER. – Les femmes, quelle engeance!

ARTHUR, *toujours retenu par Victor.* – Victor... ce n'est pas possible... Nous n'allons pas la laisser partir, comme ça, sans un mot... *(Victor hausse les épaules, lâche Arthur et se met à marcher. Arthur s'approche de Sutter.)* Et vous, vous... vous ne pouviez pas lui dire que nous nous étions vus là-bas, réellement? Quoi, ça vous est égal qu'on vous prenne...

SUTTER, *riant tristement.* – Presque égal. Et puis, cette rencontre, allais-je la rappeler, alors que vous...

ARTHUR. – Vous ne vouliez tout de même pas que nous vous...

VICTOR, *devenu très nerveux, à Arthur.* – Assez de bêtises! Il est très normal que Monsieur n'ait pas envie d'avouer ses défaites pour te rendre service. *(A Sutter.)* Car, entre nous, je ne crois pas que vous ayez été bien inspiré...

SUTTER. – Erreur, le coup a porté! *(Pause.)* Ainsi, vous y avez cru, à la maladie d'Éveline, vous aussi! Mais j'improvisais, mes amis, j'improvisais. La vérité est beaucoup plus complexe. *(Pause.)* Trêve de futilités! La situation est sérieuse. Oui, je sens venir l'orage. Où ça? Au Consortium, pardi. *(Dans un soupir.)* Pauvre Constantin! Tant d'ennemis, et dans sa maison même...

ARTHUR, *que l'évocation du Consortium a rendu fou furieux.* – Quels ennemis? Si déjà vous vous croyez obligé de nous tenir au courant, et en admettant que vous le soyez vous-même, essayez au moins...

SUTTER. – Ne me demandez pas de noms, je n'en donne jamais. Le monde est si petit! j'entends le monde des affaires, bien sûr, et non l'autre, le vrai! Ah, la vie que nous menons tous, dans les villes, quelle sottise!

VICTOR. – Personne ne vous y retient, dans les villes, allez-vous-en.

Arthur s'est mis à marcher.

SUTTER. — Je n'ai pas attendu votre conseil, jeune homme. Le sort en est jeté, je quitte le Consortium. Trop de travail, peu de joies! Constantin aura de la peine, et moi aussi, bien sûr, mais qu'y puis-je? Vais-je laisser passer l'occasion qui s'offre? *(Pause. Victor, à son tour, se met à marcher. Sutter n'en poursuit pas moins son discours.)* On me propose dans le Doubs, non, dans l'Indre, peu importe, la direction d'une colonie d'enfants. J'aime les enfants, j'aime la campagne, j'ai accepté. *(Pause. Il marche et se gratte.)* Quelle consolation pour moi, de savoir que dans six semaines, je serai entouré de petites têtes brunes et blondes qui se lèveront vers moi au milieu des blés... *(Revenant à la réalité, avec un grand geste.)* Bonne chance! Je vous laisse à votre activité de fourmis.

> *Il sort à droite dans un tourbillon.*

ARTHUR, *après un instant d'hébétude.* — Mais qu'est-ce qu'il nous veut, à la fin? Déjà, l'autre jour, chez le Vieux, à cause de lui... Et encore maintenant...

> *Il tremble de rage.*

VICTOR. — Écoute, Arthur, ce n'est pas Sutter qui est venu te chercher, souviens-toi! Et si nous l'avons maintenant sur le dos avec toute la petite famille, y compris ta chère Annette...

ARTHUR, *absent.* — Annette, pauvre Annette!

VICTOR. — Eh bien, moi, je n'ai aucune envie de m'attendrir. Les malheurs d'Annette, les enfants de Sutter, la mentalité du joueur, l'avenir du Consortium... fini, j'abandonne. Mes examens approchent, je les prépare, un point, c'est tout. Maintenant, libre à toi de perfectionner la fusée ou d'inventer une autre lune, mais ne compte plus sur la vieille garde...

> *Victor, les mains dans les poches, se met à marcher, bien décidé à ne plus rien entendre.*

ARTHUR *(il suit Victor, s'arrête, repart, etc.).* — Comment, Victor, tu veux tout abandonner parce que Sutter... qui n'est en fin de compte qu'un malheureux, comme tu le lui as très justement laissé entendre...

(Pause.) Essayons de faire le point, veux-tu? En somme, qu'est-ce qui s'est passé? Rien que de très rationnel : nous présentons une idée, elle est mauvaise, on nous la refuse. Mais nous savons par expérience qu'il suffit d'en présenter une bonne pour qu'elle soit... immédiatement acceptée. Souviens-toi des flippers. Par conséquent... *(Pause : Victor marche toujours.)* Et puis le Vieux n'a rien contre nous, personnellement. Il nous a dit des choses très désagréables, certes, mais tu le connais, il se laisse toujours emporter par le mouvement de sa phrase. D'ailleurs, il a examiné l'idée, avant de la rejeter, et les critiques qu'il en a faites coïncident, finalement, avec les tiennes. Et en un sens, vous aviez raison tous les deux, je le reconnais. C'était une erreur de mettre la fusée au centre. Ou, plus exactement, l'erreur était de croire qu'il fallait un centre. Il n'en faut évidemment aucun puisque... puisque le joueur doit être... déconcerté. *(Pause.)* Or, comment le déconcerter plus sûrement qu'en éparpillant son attention? autrement dit, en faisant apparaître dans tous les coins du tableau des motifs visuels différents dont chacun illustrerait les différentes manières de gagner. *(Il s'arrête et réfléchit.)* Donc, une fois trouvés ces motifs... *(Il marche et s'arrête de nouveau.)* Écoute, on pourrait choisir... je ne sais pas... *(Pause. Il réfléchit.)* Un combat de catch... *(Victor s'arrête et, les mains dans les poches, toise Arthur)* ou... *(pause)* ou une course de bateaux, ou les deux. *(Il réfléchit, puis dans un bel élan.)* Et quand un des lutteurs sera mis « knock out », ou quand l'un des bateaux arrivera au but... Alors... *(Pause. Il réfléchit.)* Alors, on fera en sorte que le port ou le vainqueur, s'éclaire, ou plutôt... *(il réfléchit)* qu'ils s'éteignent et s'éclairent, tous les deux, alternativement... Ou encore... *(Il réfléchit.)* Ou encore que le port s'éclaire d'abord et s'éteigne ensuite, et les lutteurs inversement... Tu me suis?

Victor. – Non.

Rideau.

DEUXIÈME PARTIE

SEPTIÈME TABLEAU

LE COURS DE DANSE

*Au fond, un peu à gauche, un phonographe. A gauche éga-
lement, un canapé. Chaises, Mme Duranty, que le spectateur
voit de dos, se rhabille. Victor, non loin d'elle, gesticule, un
stéthoscope à la main. Il est maintenant vêtu en « Monsieur ».*

VICTOR. – Non, je ne vois plus Arthur. Non, je ne
vais plus au Consortium; mais je me demande pourquoi je n'aurais pas le droit de parler d'Arthur et du
Consortium. Arthur a été longtemps mon ami, et il
est très normal qu'ayant passé mes examens, dispo-
sant donc de plus de temps, j'aie envie de savoir ce
qu'il devient.

MADAME DURANTY, *se retournant.* – Arthur! Comme
s'il s'intéressait à nous, Arthur! C'est bien simple, je
suis malade depuis le deux septembre, et Monsieur
ne s'est même pas donné la peine...

VICTOR. – Comment voulez-vous qu'il vous joigne?
Vous avez la bougeotte. Un jour le café, le lendemain
le bain-douche, et maintenant le cours de danse!

MADAME DURANTY. – Mais vous, Monsieur Victor,
qui êtes pourtant si occupé, vous avez bien trouvé le
moyen...

VICTOR. – Excusez-moi, Madame Duranty, mais
c'est vous qui êtes venue me chercher. Évidemment,

quand il s'agit de se faire soigner aux frais de la princesse...

MADAME DURANTY. – Eh bien, justement! Si je
vous ai trouvé, Monsieur Victor, Arthur aussi aurait
pu vous trouver. Seulement voilà, il se moque pas
mal de ses amis. Lui, ce qui l'intéresse, c'est le Consortium. *(Elle rit.)* Ah, il boit un fameux bouillon, le
Consortium!

VICTOR. – Je vous en supplie, ne recommencez pas.
Évidemment, les ennuis du Consortium vous amusent:
plus d'appareils dans les établissements publics, vous
voilà vengée.

MADAME DURANTY. – Ah, je vous jure! Et les
stands, alors, qu'est-ce que vous en faites? Dire qu'il
fallait encore *(étendant le bras à droite)* que j'en aie un
là, juste en face!

VICTOR. – Je sais, je sais.

MADAME DURANTY. – Un plaisir, oui. Au beau
milieu du cours, ils me quittent, ils vont faire une
partie là-bas, et ils me reviennent tout essoufflés, tout
rouges, pouah! *(Pause.)* Et quand je pense que cet
argent-là va encore dans la poche du Consortium...

VICTOR. – Pas pour longtemps, rassurez-vous,· car
les stands vont bientôt être nationalisés, et je vous
assure que, personnellement, je n'en ferai pas une
maladie... La seule chose qui m'inquiète, ne vous en
déplaise, c'est de penser qu'Arthur, sot comme il est,
ne se rend certainement pas compte de la situation.
Je le connais, s'il n'a pas à côté de lui quelqu'un de
raisonnable, il continuera de perdre son temps et de
divaguer...

MADAME DURANTY. – Perdre son temps! Comme
s'il avait jamais fait autre chose! Et vous, Monsieur
Victor, si vous recommencez à le fréquenter, vous
perdrez votre temps aussi.

VICTOR, *rangeant ses instruments.* – Tandis qu'avec
vous, je ne le perds pas, peut-être... Au revoir, Madame Duranty, vous vous portez comme un charme,
et vous n'avez plus aucun besoin de mes soins.

Il met ses instruments dans sa serviette,
prend son manteau et s'apprête à sortir à droite.

MADAME DURANTY, *courant derrière Victor*. — Monsieur Victor, vous n'allez pas m'abandonner! Qu'est-ce que je deviendrai, toute seule? Et l'Urodonal, avec ma bronchite... Ça ne va pas ensemble, tout ça!

VICTOR. — Mais si, mais si! Je repasserai, ne vous inquiétez pas.

Il sort.

MADAME DURANTY, *revenant au milieu de la scène*. — Ce qu'il faut supporter, quand on a besoin des gens!

> *Longue pause pendant laquelle Mme Duranty achève sa toilette. Entrent à droite M. Roger et le Vieux, engoncé dans un gros pardessus à manches un peu trop longues.*

MADAME DURANTY, *levant les bras au ciel*. — Monsieur Roger! Ça, par exemple!

LE VIEUX. — Ah, vous vous connaissez?

MONSIEUR ROGER, *embarrassé et hautain*. — Oui, Madame tenait jadis un café où j'allais, quelquefois.

LE VIEUX. — Et tu ne voulais même pas qu'on entre! C'est bien toi. Du Roger tout pur! *(Pause.)* Très heureux, Madame...

MADAME DURANTY, *esquissant une révérence*. — ... Madame Duranty, professeur de danse, une pauvre femme qui vous fait mille excuses parce que ce soir elle n'aura qu'une jeune fille... La bronchite, évidemment, un hiver pareil!

MONSIEUR ROGER. — Nous ne sommes pas venus ici pour danser.

MADAME DURANTY. — Vous n'êtes pas venus pour...

LE VIEUX, *inspectant la scène*. — Alors, on a un parquet ciré, un phono, un petit canapé, tout ce qu'il faut, quoi! Excepté un billard électrique.

MADAME DURANTY. — Mais, Monsieur, je ne suis pas la seule. Plus personne, aujourd'hui. C'est interdit, vous savez bien.

LE VIEUX, *sur le ton du député démagogue en tournée électorale, ton qu'il gardera*. — Et vous acceptez l'interdiction? On vous prive d'un gagne-pain, et rien, pas un cri, pas une plainte...

MADAME DURANTY. — Oh, vous savez, j'ai l'habi-

tude, moi. Depuis le temps que je suis sans appareil...
Le Consortium me l'avait pris, pour me le réparer,
soi-disant; et puis adieu, ni vu ni connu... *(Se tournant vers M. Roger.)* Monsieur Roger peut vous cer-
tifier...

> M. Roger fait signe à Mme Duranty de se
> taire.

LE VIEUX, *à M. Roger.* – Comment! Tu savais que
Madame était privée de son appareil et tu ne me le
disais pas! Plus bête encore que je ne pensais!

MONSIEUR ROGER. – Écoutez, Monsieur Constantin...

MADAME DURANTY. – Monsieur Constantin! Vous
êtes Monsieur Constantin! Et moi qui me permettais...
sur le Consortium...

LE VIEUX. – Ne vous excusez pas, vous nous rendez
service, au contraire. Il n'est jamais trop tard pour
mettre le doigt sur les fautes qu'on a commises ou
laissé commettre *(grave)*, ces fautes sans lesquelles,
peut-être, nous n'en serions pas où nous en sommes.

MADAME DURANTY. – C'est vrai, mon pauvre Monsieur, vous aussi, vous avez bien des ennuis...

LE VIEUX. – Les ennuis que nous avons mérités,
Madame. *(Il ôte son pardessus, que Mme Duranty s'em-
presse de lui prendre des mains, et va s'asseoir sur le canapé.)*
Car nous sommes coupables, oui, coupables, vous et
moi. Vous, de ne pas m'avoir fait confiance, de n'être
pas venue me trouver, personnellement, comme un
allié, comme un ami, et moi, de n'avoir pas toujours
maintenu le contact avec ceux que je refuse d'appeler
mes clients, parce qu'ils sont mes associés *(après une
pause)*, en somme. *(Nouvelle pause.)* Madame, nos
intérêts coïncident. Car enfin, qui fabrique l'appareil?
Moi. Qui le prend en charge? Vous. Et nous voici
tous les deux aux prises avec le même ennemi, l'État,
ce bandit patenté qui n'hésite pas à s'approprier les
fruits de notre travail. *(Pause.)* Quelle arme avons-
nous contre lui? Une seule : nous serrer les coudes,
vous et moi.

MADAME DURANTY, *pauvre petite chose, debout devant
le Vieux.* – Vous et moi!

Le Vieux. — Parfaitement. *(A M. Roger, qui, manifestement, voudrait bien être ailleurs.)* Qu'est-ce que tu attends, toi ? Toujours le bec dans l'eau ! Donne-moi la liste. *(M. Roger tire de sa poche une grande feuille de papier, que le Vieux lui prend des mains pour la tendre à Mme Duranty.)* Lisez cela, Madame.

Madame Duranty, *après avoir lu.* — Ah, une pétition... *(Pause.)* Eh bien, vous en avez, des signatures !

Le Vieux. — J'en aurai une de plus quand vous aurez apposé la vôtre, Madame... *(cherchant le nom)* Duranty.

Madame Duranty. — Que je signe, moi ? Mais puisque mon appareil, déjà... avant... ce n'est pas l'État qui...

Le Vieux, *se levant.* — Alors, après tout ce que je vous ai dit, vous vous considérez toujours comme bannie de la communauté des concessionnaires ? Mais voyons, je vous ai vue, vous m'avez mis au courant de votre situation, et la seule chose qui m'empêche encore de vous aider, c'est précisément la décision de l'État. Que vous reste-t-il donc à faire ? Signer, vous intégrer à la foule revendicatrice, autrement dit associer votre nom à cette protestation collective qui intimidera les pouvoirs et les forcera à reculer. Ce jour-là, vous ne souffrirez plus d'aucune injustice, vous rentrerez en possession de votre bien, comme tout le monde.

Monsieur Roger, *impatienté.* — C'est ici qu'on signe.

Il montre un endroit sur la feuille.

Madame Duranty. — Signer, signer, c'est très joli, Monsieur Roger, mais au milieu de tous ces gens-là, qu'est-ce que je suis, moi ? Vous m'oublierez... Avec ma chance habituelle...

Le Vieux. — Voyons, pour une fois que la chance vous sourit... Réfléchissez : tous les autres sont dans la même situation, la situation banale, tandis que vous, vous êtes le cas rare, le cas particulier... Au premier regard jeté sur la liste, votre nom me sautera aux yeux : Madame Duranty, la concessionnaire prématurément lésée. Et vous serez automatiquement parmi les premiers servis.

Madame Duranty. — Oui, vous, vous savez, mais les autres...

Le Vieux. – Ils sauront! *(Pause.)* Nous allons simplement souligner votre nom, ici même, tout de suite.

Il le souligne.

Madame Duranty. – Mais, Monsieur Constantin,
si vous me mettez, comme ça, en évidence... Supposez
que le papier tombe dans la main des... des propriétaires de stands... Il faut se méfier, avec ces Armé-
niens-là... Oh, à vous ils ne feront rien, bien sûr, ils
n'oseront pas, mais moi, une pauvre vieille...

Monsieur Roger, *qui s'énerve.* – Les propriétaires
des stands! Vous croyez peut-être que les propriétaires
des stands vont s'occuper...

Le Vieux. – Et pourquoi ne s'occuperaient-ils pas
de Madame Duranty? Tu ne peux donc pas ouvrir la
bouche sans dire une balourdise? Madame Duranty
ne compte pas, peut-être? *(Pause.)* Vous avez raison,
Madame, de soulever cette objection; elle prouve en
tout cas que vous connaissez votre monde. Pas tout à
fait, pourtant. Car vous oubliez que les gens de cette
espèce sont faciles à intimider. Un nom souligné, c'est
une personne importante, donc dangereuse, et qu'on
a intérêt à se concilier, fût-ce à prix d'or. *(Riant.)*
Telle que je vous connais, vous leur soutirerez bien
quelques écus.

Madame Duranty, *riant, doucement gâteuse.* – Eh
bien...

Elle signe.
Entre Annette à droite, cheveux relevés, petit
manteau de demi-saison. Elle voit aussitôt
M. Roger et s'arrête.

Annette, mon petit, viens vite! Si tu savais ce qui
nous arrive! Ce Monsieur-là *(elle montre le Vieux),*
devine qui c'est? Monsieur Constantin! Oui, en personne.

Annette. – Monsieur Constantin? J'en suis fort
aise. Mais il n'est pas venu seul. Hello, Roger! *(Riant.)*
Toujours en forme?

M. Roger, qui avait, contre toute évidence,
espéré passer inaperçu, bafouille.

LE VIEUX, *manifestement ému par la présence d'Annette,
à M. Roger.* – Ah, tu connaissais aussi Mademoiselle,
et je n'en savais rien! De mieux en mieux! Monsieur
a sa vie privée.

MONSIEUR ROGER. – Monsieur Constantin, je vous
aurais très volontiers présenté mon amie Annie... et
j'ai toujours eu l'intention de le faire, mais...

LE VIEUX. – Mais quoi?

MONSIEUR ROGER. – Mais... mais elle est assez timide, du moins, elle l'était, et peut-être n'aurait-elle
pas osé...

LE VIEUX. – Comment? Une si ravissante jeune
fille n'aurait pas osé? *(A Annette.)* Enfin, Mademoiselle, est-ce que...

ANNETTE, *riant.* – Non, je n'avais pas peur d'affron-
ter votre regard. Seulement, ce que Roger ne vous dit
pas, c'est que, non content de vouloir me présenter à
vous, il nourrissait le projet très précis, et qui m'ef-
frayait un peu, je le reconnais *(avec une petite voix de
tête, toisant M. Roger)*, de me faire engager au Consortium comme prospectrice.

> M. *Roger, abasourdi, s'éloigne le plus pos-
> sible.*

MADAME DURANTY. – Tu confonds, Anneton, c'était
Monsieur Sutter...

LE VIEUX, *affolé.* – Sutter? Sutter venait ici?

MADAME DURANTY, *battant en retraite.* – Oh, vous
savez, Monsieur Constantin, j'ai dit ce nom-là comme
j'en aurais dit un autre... Dans les cafés, forcément, on
voit tant de monde...

LE VIEUX. – Passons. *(Pause, puis à M. Roger.)* Alors,
pour une fois que tu avais une idée pertinente, tu as
jugé bon de la garder dans ta petite cervelle. *(A Annette.)* Bien sûr, vous auriez pu travailler avec nous.
C'était même tout indiqué. *(Pause.)* Quel contretemps, bon Dieu, quel contretemps! *(Pause.)* Mais
dites-moi, nous n'allons pas laisser passer une chose
pareille!

MONSIEUR ROGER, *qui ne peut plus se contenir.* – Excusez-moi, Monsieur Constantin, mais en admettant
même que le concours de Mademoiselle ait pu nous

être jadis nécessaire, il me semble que dans l'état
actuel...

Annette rit légèrement.

LE VIEUX. – Le défaitisme, à présent!

MADAME DURANTY. – Je ne comprends pas, Monsieur Roger... Tout à l'heure, vous m'avez fait signer,
et maintenant... *(Au Vieux.)* N'est-ce pas, Monsieur
Constantin, ça va s'arranger, et je vais avoir mon
appareil?

LE VIEUX. – Naturellement, vous l'aurez, mais à
condition que nous soyons aidés. Et qui peut nous
aider? Des êtres jeunes, dynamiques, enthousiastes.
(A Annette.) Comme vous, Mademoiselle.

MADAME DURANTY. – Dites donc, Monsieur Constantin, c'est tout de même une pauvre vieille qui vous
l'a signée, votre pétition.

Le Vieux lève les bras au ciel, menaçant.
Mme Duranty se fait toute petite.

ANNETTE, *méchamment.* – Tranquillisez-vous, Madame Duranty. Je n'ai aucune envie de m'interposer
entre vous et le Consortium. Je ne vois d'ailleurs pas
ce qu'une humble manucure...

MADAME DURANTY. – Tu ne vas pas me reprocher,
maintenant, de t'avoir conseillé la manucure... Souviens-toi, du temps d'Arthur...

LE VIEUX. – Manucure! Vous êtes manucure! Manucure, quel beau métier, intime et public à la fois...
(Lyrique.) Quand on fait les mains d'une personne,
on la tient pour ainsi dire en son pouvoir. Un mot, une
pression, elle obéit. *(Il prend la main d'Annette, qui la lui
retire assez vite.)* Mademoiselle, puis-je vous parler à
cœur ouvert?

ANNETTE. – Je vous en prie, cher Monsieur.

LE VIEUX, *s'asseyant.* – Voilà. Nous avons des ennemis importants, puissants même; et ils profitent de
nos moindres tâtonnements, de nos moindres erreurs,
pour nous guetter, nous compromettre, nous perdre...
Aujourd'hui, notre tâche la plus urgente est de dé-
jouer leurs manœuvres, autrement dit, de trouver
quelqu'un qui puisse s'infiltrer dans les sphères où se

trament ces manœuvres. *(Se levant.)* Oui, quelqu'un qui sache exercer une influence, peser sur une décision, en entraver une autre. *(S'approchant d'Annette dont il veut reprendre la main.)* Or, qui peut mieux, plus efficacement, plus discrètement aussi, qu'une manucure...

ANNETTE, *reculant.* — Et ce serait moi, la manucure-agent-secret?

> *Elle rit.*

LE VIEUX, *un peu démonté.* — Pourquoi pas? *(A M. Roger qui s'est assis et balance monotonement sa jambe.)* Tu ne dis rien, toi, naturellement? Pas d'accord, peut-être?

MONSIEUR ROGER, *bien désolé de devoir prendre parti.* — Mais si, Monsieur Constantin, je suis... tout à fait d'accord...

ANNETTE, *se déchaînant.* — Parfait, l'entente règne! Mais j'ai peut-être un mot à dire, moi aussi. Figurez-vous que le sort des Consortiums en déroute m'intéresse à peu près autant que ce qui se passe dans la lune. Au revoir, Messieurs!

> *Elle sort très vite à droite.*

LE VIEUX, *tendant les bras.* — Roger, qu'est-ce qu'elle a? Fais quelque chose! Cours après elle, et ramène-la! Ramène-la!

> *M. Roger, après une courte hésitation, obéit et sort à droite.*
> *Mᵐᵉ Duranty, effrayée par la tournure que prennent les événements, s'empresse autour du Vieux qui halète, et le fait asseoir.*

MADAME DURANTY. — Ne vous énervez pas comme ça, Monsieur Constantin. Il faut leur laisser le temps de s'expliquer... *(Se penchant vers le Vieux dont elle effleure presque le visage.)* Ces choses-là, ça s'arrange toujours.

HUITIÈME TABLEAU

LE SQUARE

Personne sur le banc.
Arthur, plus nerveux encore que dans la première partie, est debout au milieu de la scène. A sa gauche, Victor; à sa droite, Annette.

ARTHUR, *se tournant vers Victor.* – Mais enfin, Victor, qu'est-ce qui te permet de croire que la pétition du Vieux soit obligatoirement vouée à l'échec? En tout cas, le seul fait qu'à son âge, et dans sa situation, il tente une telle démarche, prouve sa vitalité et, partant, celle du Consortium. Et surtout, ne me dis pas que je m'emballe, je suis devenu très pondéré, au contraire. Oui, pendant tous ces mois où tu n'as pas daigné me voir *(se tournant vers Annette)* — toi non plus, Annette, tu n'es jamais venue... *(Se tournant de nouveau vers Victor visiblement impatienté.)* Pendant tous ces mois, je n'ai pas bougé. D'abord, je le reconnais, parce que, sans toi, je n'ai pas l'entrain, la désinvolture, enfin... la liberté d'esprit qu'il faut pour aller là-bas; mais aussi parce que je me suis rendu compte, peu à peu, que toutes nos erreurs d'autrefois venaient, en partie, de notre précipitation, ou, disons, de la mienne, je veux bien. Mais ce n'est pas, non plus, une raison pour vouloir me décourager coûte que coûte, et cela au moment où, comme je te l'ai dit, j'ai des idées qui, sans être absolument concluantes, commencent néanmoins à s'organiser, à prendre forme; et encore moins une raison pour traiter de menteuse Annette, que, comme moi, tu as perdue de vue depuis assez longtemps. *(Très agressif.)* Car tu l'as presque traitée de menteuse, et simplement parce qu'elle nous a dit que rien n'est désespéré.

ANNETTE. — Et j'ai de bonnes raisons de le croire, car n'oubliez pas, cher Victor, que vos renseignements sont de seconde main *(riant)*, la main première étant Madame Duranty, tandis que moi, j'ai vécu la scène *personnellement*.

VICTOR. — Oui, chez Madame Duranty, nous sommes d'accord. Mais permettez-moi, charmante Annette, de vous poser une question très simple : si la situation du Vieux vous paraît tellement brillante, pourquoi avez-vous refusé ses propositions ?

ARTHUR. — Annette est absolument libre de préférer à tout autre son métier de manucure, qui, comme elle vient de nous le dire, ne manque pas...

VICTOR, *parodiant Annette*. — L'intérêt psychologique, l'intimité du client, je sais...

ARTHUR, *à Victor*. — La question n'est pas là. *(Se tournant vers Annette.)* A vrai dire, Annette, il y a tout de même quelque chose... qui me trouble un peu. Comment t'expliquer ? *(Pause.)* Si tu as repoussé les offres qu'on te faisait, il me paraît assez difficile, je ne dis pas impossible, mais difficile, que tu trouves ensuite, sinon l'occasion, du moins, la possibilité...

ANNETTE. — De lui parler de toi ? Minute. Je n'ai pas dit « non » bêtement, comme une petite fille. J'ai distillé mon refus. *(Riant.)* N'aie pas peur, ces Messieurs reviendront à la charge et, quand ils le feront, je saurai comment les recevoir : « Vous renouvelez votre formule ? Parfait, mais renouvelez aussi vos modèles. » Tu vois la transition... *(Virevoltant.)* Oui, Annette est fidèle, malgré ses sautes d'humeur.

ARTHUR. — Annette...

ANNETTE. — Du reste, j'ai déjà posé des jalons. J'ai évoqué, sans avoir l'air de rien, la suppression des flippers, et aussi l'idée de la lune.

> *Victor qui, agacé, s'est éloigné un peu, ricane.*

ARTHUR, *ému*. — La lune ? Oh, tu as parlé de la lune... *(Soudain effrayé.)* Mais tu n'aurais peut-être pas dû... Souviens-toi.

VICTOR, *riant méchamment*. — De quoi veux-tu que parle Annette ? La fusée et la lune, c'était votre chef-d'œuvre commun, l'enfant unique de vos deux grands esprits.

ANNETTE. — Pourquoi n'aurais-je pas parlé de la
lune? Parce qu'un jour l'idée n'a pas eu l'heur de
plaire à ce brave Constantin? Mais il l'a oubliée depuis belle lurette, cette malheureuse lune! Tout au
plus ce mot lui rappelle-t-il vaguement *(à Arthur)* ton
existence, *(à Victor)* ou notre existence, comme vous
préférez.

ARTHUR. — Mais alors, Annette, tu crois, vraiment,
sincèrement, que nous devons... que je dois... séance
tenante...

ANNETTE, *très femme d'affaires.* — Non, pas séance tenante, il faut me laisser le temps d'agir, et au bon
moment...

> Entre à droite Sutter, un peu vieilli et sur-
> tout très déguenillé, très misérable. Il porte sous
> le bras un paquet de tracts, dont un ou deux
> tombent. Arthur a un haut-le-corps. Victor, lui,
> se domine.

SUTTER. — Mais c'est une conspiration! Content de
vous voir, tous les trois. Depuis le temps! Jeunesse
passe... *(Pause.)* Vous connaissez la dernière? Pauvre
Constantin! Dans le lac, son Consortium!

ANNETTE. — Et d'où tenez-vous ces belles informa-
tions, Sutter? La rumeur publique? Elle se trompe
parfois. En tout cas, les nouvelles que j'ai, moi, sont
loin d'être aussi *(riant)* alarmantes.

VICTOR, *à Annette.* — Eh bien, moi, je crains que
Monsieur n'ait raison. *(A la cantonade.)* Ceci dit, je
ne vois pas l'importance qu'a pour vous tous...

ARTHUR, *à Sutter.* — Quoi qu'il en soit, je m'étonne
que vous vous intéressiez encore à des questions dont
vous prétendiez... Enfin, les projets dont vous parliez...

ANNETTE, *qui, un instant plus tôt, a ramassé un des tracts
que Sutter a laissé tomber, et qui a eu le temps de le lire.* —
Ah, vous en êtes là! *(Tendant le tract à Arthur et même
à Victor.)* Regardez, mes amis.

ARTHUR, *après avoir lu le tract.* — C'est... C'est trop
fort! *(A Sutter.)* Alors, après tout ce que Monsieur
Constantin a fait pour vous, ou, du moins, ce que vous
auriez voulu le forcer à faire pour vous... Vous... Vous

osez vous prêter à une propagande que je ne qualifierai même pas de basse, puisqu'en somme... *(Pause.)* On vous paye cher, pour ce travail?

> *Victor, pendant la réplique d'Arthur, cherche à lui prendre des mains le tract, mais Arthur résiste. Victor, de guerre lasse, s'approche de Sutter, et tire un tract du paquet que celui-ci tient toujours sous son bras; après quoi il va le lire à droite, un pied posé sur le banc, tout en suivant, bien entendu, la conversation.*

SUTTER. – Ne me jugez pas trop vite, jeunes gens, vous ne savez pas. Lui aussi est coupable. Le passé, la jeunesse, les lectures communes devant un feu de bois, il a tout oublié, tout rayé, d'un seul coup. Que faire? Pardonner? Peut-être, mais en attendant il faut vivre, manger, s'habiller. La retraite dans le désert? Facile à dire.

ANNETTE. – Parfait, continuez dans cette voie glorieuse! *(Riant.)* Et je connais une personne qui sera très intéressée par vos nouvelles activités, et que je ne manquerai pas de tenir au courant.

SUTTER. – Le petit laquais, sans doute?

ANNETTE. – Non, le maître lui-même. *(Riant.)* Oh, je ne crois pas que vous — ou plutôt vos employeurs — représentiez un danger sérieux pour Constantin, mais j'aimerais qu'il connaisse la regrettable évolution de ses amis d'enfance... Au plaisir, Sutter, on m'attend *(très fort)* au Consortium!

> *Elle tend la main à Arthur.*

ARTHUR. – Annette, tu... tu ne vas pas partir maintenant... alors que nous n'avons... Il faut... si nous voulons... tu comprends...

ANNETTE, *s'éloignant, plus désinvolte que jamais.* – Ne t'inquiète pas, je fais le nécessaire, et je t'appelle dès qu'on a besoin de toi.

> *Elle sort à gauche.*

SUTTER. – Pauvre folle! Comme si Constantin ne connaissait pas Sutter!

ARTHUR. – Il vous connaît si bien, que, sans doute,

vous vous êtes senti dispensé d'avoir avec lui une explication...

SUTTER, *les bras au ciel.* — Mais je l'ai cherchée, cette explication! Dernièrement encore, j'ai couru chez lui, toutes affaires cessantes. Seulement voilà, Roger ne m'a pas ouvert. *(Pause.)* Oui, Sutter est resté à la porte de Constantin, le col relevé, sous la pluie battante. On aura tout vu! *(Marchant.)* Ne me dites pas qu'il était absent : je les ai entendus chuchoter, tous les deux, et puis... et puis *(criant)* je sais qu'il est malade.

ARTHUR, *n'y tenant plus et s'avançant sur Sutter.* — Malade! Mais Annette l'a vu... avant-hier, alors...

> *Sutter, menaçant, toise Arthur. Victor, inquiet, accourt pour faire diversion.*

VICTOR, *à Arthur, qu'il écarte de Sutter.* — Il s'agit bien de ce qu'a vu Annette! *(A Sutter, presque poliment.)* Alors, qu'est-ce qu'il a, le Vieux? Vous pouvez me le dire, je suis médecin.

NEUVIÈME TABLEAU

CHEZ LE VIEUX

D'abord, les projecteurs éclairent uniquement Arthur et Victor, ce dernier portant une petite trousse. Ils font quelques pas de droite à gauche, puis s'arrêtent.

VICTOR. — Si on nous laisse entrer ensemble, tant mieux; sinon je m'arrangerai, pendant ou après la consultation, pour sonder le terrain, et même, si c'est possible, pour parler carrément de toi. *(Pause.)* L'essentiel était que je puisse le voir, non? Or, Madame Duranty lui ayant annoncé ma visite...

ARTHUR. — Elle a promis de le faire mais...

VICTOR. – Il n'y a pas de « mais ». Madame Duranty a besoin de moi, et comme, d'autre part, le
Vieux a besoin d'elle...

ARTHUR. – Ne te mets pas en colère, Victor. Je sais
que tu as fait tout ton possible, et je t'en suis... très
reconnaissant... Mais que veux-tu, je m'inquiète un
peu. Nous avons décidé tout cela si vite...

VICTOR. – Nous ne pouvions pas faire autrement.
Il fallait agir maintenant ou jamais. Ceci dit, je t'ac-
corde que la démarche est assez irrationnelle. Mais
c'était plus fort que moi, je ne pouvais plus te voir
épiloguer jour et nuit sur l'influence d'Annette, la
complaisance d'Annette, la position d'Annette au
Consortium...

> *Obscurité, puis la scène tout entière s'éclaire.*
> *A gauche, un lit. Dans le lit, couché face au*
> *public, le Vieux. A sa gauche, agenouillé et lui*
> *tenant la main, M. Roger, visiblement désarmé*
> *et malheureux. A sa droite, assise sur une chaise,*
> *et lui « faisant » l'autre main, Annette, élégante*
> *et penaude.*

LE VIEUX, *qui somnolait, se soulevant brusquement, obli-*
geant Annette à lâcher sa main. – Ce qui nous met dedans,
ce sont nos prix. L'acheteur ne peut plus nous suivre,
à nous de jeter du lest! Le « statu quo »? Mais c'est la
faillite, la coopérative, la fin de tout! *(Criant, à M. Ro-*
ger.) Tu veux voir ça?

MONSIEUR ROGER. – Non, Monsieur Constantin, je
suis... tout à fait de votre avis... Il faut baisser les prix.
Mais ce n'est peut-être pas le moment d'envisager...
Étant donné... nos difficultés...

ANNETTE, *avec un demi-rire.* – Ne l'écoutez pas, Monsieur Constantin, je le connais. Il craint que la baisse
des prix n'entraîne un souci moins grand de la qualité, et la qualité, pour lui... *(A M. Roger.)* Mais ne
gravitez donc pas toujours dans le monde idéal, c'est
fatigant et dangereux, à la fin.

LE VIEUX. – La voix de la raison! *(Essayant de tri-*
poter Annette, qui se laisse faire de mauvaise grâce.) Si fra-
gile et si compétente à la fois! *(Riant.)* Un petit être
d'élite! *(Criant.)* La qualité? Mais c'est la quantité

qui compte, nom de Dieu! Des appareils à bas prix,
pourquoi pas, s'ils ont bonne mine? Plus vite détra-
qués? La belle affaire! Une mécanique, ça se rem-
place. *(Pause.)* Les concessionnaires? Mais ils y trou-
veront leur compte, les concessionnaires. Nouvel appareil, nouveaux clients. Jouer sur la vue! La force de
l'étalage! Accroître les besoins pour augmenter la
production *(il tripote Annette)* comme l'a dit... un Amé-
ricain, je crois.

MONSIEUR ROGER. – Je crois aussi.

Annette rit.

LE VIEUX, *dans un profond soupir.* – Il croit aussi!

MONSIEUR ROGER, *se levant, avec un semblant d'éner-
gie.* – Permettez-moi, pourtant, une objection... Si les
appareils se détraquaient, cela entraînerait... des frais
que ne couvriraient peut-être pas...

Il s'assied sur une chaise, près du lit.

ANNETTE, *à M. Roger.* – Ah, ça vous ennuie, que de
temps en temps on change d'appareil? Vous les croyez
irremplaçables?

LE VIEUX. – Eh bien, tu en prends pour ton grade,
Roger. Pas commode, la petite! *(Il rit et tripote Annette qui se dégage.)* Mais attention, je n'ai pas dit mon
dernier mot. *(Criant.)* Multiplier les appareils, c'est
bien, multiplier les modèles, c'est mieux. *(Il rit.)* Évidemment, ça crée des dépenses, de grosses dépenses,
mais il faut en passer par là. *(Criant et se soulevant sur
son lit.)* Ou alors... alors... c'est la politique du clo-
porte. *(Se tournant vers M. Roger.)* Pas vrai?

Il retombe sur son oreiller.

MONSIEUR ROGER, *s'affairant autour du Vieux.* – Oui,
oui, Monsieur Constantin... *(cherchant ses mots)* il faut
aussi multiplier les modèles.

ANNETTE, *fatiguée d'un tripotage qui s'accompagne de
conversations avec M. Roger.* – Excusez-moi, Monsieur
Constantin, si je sors du cadre de mes attributions,
mais je ne vois pas l'utilité de ces nombreux modèles.
(Elle se lève, et très fort, à M. Roger.) On joue avec
l'appareil qu'on a sous la main. A quoi bon chercher

de nouveaux plaisirs? Voyons, c'est toujours le même,
et on s'en aperçoit très vite. Ce qu'il faut, c'est avoir
beaucoup d'appareils à sa disposition. Beaucoup!
Quels qu'ils soient! Des petits, des grands, des gros,
qui marchent bien, qui marchent mal, quelle importance?

Le Vieux, *que le gâtisme menace sérieusement, à M. Ro-*
ger. – Ah, mais elle t'en veut! Qu'est-ce que tu lui as
fait? *(Annette rit.)* Et dire que nous avons, nous-mêmes,
par bêtise, limité le nombre des modèles! *(Se soule-*
vant.) Les propositions ne manquaient pas, pourtant.
On nous en a apporté, des idées, qu'il aurait fallu
examiner, peser, rejeter peut-être, mais après réflexion,
pas à l'aveuglette... Et d'une mauvaise idée, après
tout, on peut en sortir une bonne. *(Pause.)* Évidemment, il y a les inventeurs... Mais quoi? On a le temps,
on voit venir et... on fixe un pourcentage. *(A M. Ro-*
ger, se laissant retomber sur son oreiller.) Va me chercher
les dossiers! *(A Annette.)* Ne reste pas debout, fillette.
Non, là, tu seras mieux. *(Il oblige Annette à s'asseoir sur*
le lit.) On va examiner tout ça ensemble, et je suis sûr
que toi aussi, tu feras tes petites suggestions.*(Il rit,*
puis à M. Roger qui est sorti, criant.) Dépêche-toi, Annette va travailler avec nous! *(Pause.)* Ah, j'en ai de
la chance! Ça ne se trouve pas à la pelle, les petites
filles qui viennent d'elles-mêmes, gentiment, faire les
mains à un pauvre malade, et qui, par-dessus le marché, veulent bien mettre le nez dans son travail.

> *Il a un rire obscène.*
> M. Roger revient, *silencieux, et tend des*
> *dossiers au Vieux.*

Le Vieux, *ouvrant un dossier, au hasard.* – Ça, par
exemple! Les couloirs de gauche en même temps que
les couloirs de droite! En même temps! Pourquoi une
droite et une gauche, si elles font la même chose?
Idée de borgne, zéro! Et on a donné de l'argent pour
ça! *(Pause.)* Ah, celle-là! Refusée, heureusement! Des
billes qui entrent dans des trous et qui y restent! Quoi
encore? Et pas de flippers du bas! Alors rien! Pas
même la chance « in extremis »! Et on s'est donné la
peine d'examiner ça... *(Pause.)* Alors qu'on a refusé,

oui, refusé, « le Taureau et la Tomate »! Qu'est-ce
que vous aviez tous contre ce « Taureau », toi, les
autres?

Monsieur Roger. – Mais je n'ai jamais dit...

Le Vieux. – Évidemment! *(Annette rit.)* Jamais un
mot, jamais un conseil! Mais si tu ne sais rien, avoue-le,
et je prendrai un autre secrétaire, d'autres secré-
taires, qui sauront, qui discuteront, qui seront toujours prêts. *(Pause.)* On ne peut pas travailler éternellement tout seul, on est perdu! Qu'est-ce que je
connais, moi, de cet appareil? Rien! Je nage... Pour
le connaître, il faut en parler, en parler... *(Coup de
sonnette.)* Fais entrer! N'importe qui! On parlera!
N'importe qui, mais pas le médecin! Pas de médecin!

M. Roger sort.

Annette, *qui s'est levée, sur le ton très triste de la domes-
tique bien stylée.* – Je vais vous laisser, Monsieur
Constantin.

Le Vieux, *faisant rasseoir Annette.* – Non, mon petit,
tu n'es pas de trop, jamais de trop! On n'a pas de
secrets pour toi, tu le sais bien. *(Riant.)* Ça t'effraye
tellement, les inconnus? Voyons, on fait connaissance!

Victor, *en coulisse.* – Arthur! Arthur!

*Annette sursaute et ne bouge pas.
Entre à droite Arthur, précédé de M. Roger.
Annette ne bouge toujours pas. Arthur, voyant
Annette, reste un instant médusé puis se domine
tant bien que mal.*

Le Vieux, *à Arthur.* – Ah, c'est vous! Eh bien, je
suis content. On va pouvoir discuter un peu. *(A Annette.)* Tel que tu le vois, ce garçon a eu l'idée du
« Tilt ».

Arthur. – Ah, vous vous rappelez...

Le Vieux. – Je pense bien! Une fameuse idée, le
« Tilt »!

Arthur, *comme on se jette à l'eau, tout en regardant
Annette qui ne bronche pas.* – Oui, la première fois, il
s'est agi du « Tilt », mais par la suite nous vous avons
soumis d'autres projets; je dis « nous », car nous étions
deux, et c'est pourquoi je... je m'étonne un peu qu'au-

jourd'hui *(montrant M. Roger qui s'est rassis)* Monsieur
n'ait pas laissé entrer mon ami... *(Pause.)* D'ailleurs,
un de nos projets vous avait intéressé puisque... la suppression des flippers, c'était nous...

Le Vieux. — Regarde ces jeunes gens, Roger. Ils
ont une idée, et puis une autre. Infatigables!

Arthur, *agressif, fixant Annette.* — Évidemment, notre
dernière idée, enfin la dernière que nous vous ayons
soumise, n'était pas très bonne.

Le Vieux, *à M. Roger.* — Tu vois, ils sont même ca-
pables de condamner leurs propres idées. L'auto-
critique, comme disent les autres. *(A Arthur.)* Alors,
pourquoi n'était-ce pas une bonne idée? Racontez-
nous ça.

Pause : Arthur reste muet.

Annette, *éclatant de rire, à Arthur.* — Ne faites pas
cette tête-là. Vous avez peur à cause de la fusée?
Mais je vais en parler, de la fusée, et de la lune aussi,
à Monsieur Constantin. *(Au Vieux.)* Vous vous sou-
venez peut-être, il vous a proposé une idée de fusée
et de lune; et maintenant il en a honte, à juste titre;
je peux d'autant mieux le dire que j'en étais un peu
responsable...

Le Vieux, *à M. Roger.* — Regarde, regarde comme
elle s'y met, c'est un plaisir! Ah, cette petite équipe en
train de se former, ça me ragaillardit.

*Il attrape Annette par lq taille; elle se dé-
gage mais reste assise.*

Annette, *à Arthur.* — Alors, parlez. Je suppose que
si vous êtes venu aujourd'hui, de *vous-même*, voir
Monsieur Constantin, c'est que vous avez une idée
à lui soumettre, une idée *(riant)* personnelle.

Le Vieux, *riant.* — Et elle est pressée! N'aie pas
peur, mon petit, il va le déballer, son appareil. Allez-y,
jeune homme, en piste!

Arthur, *hagard, très vite.* — Eh bien oui, j'ai imaginé
tout un appareil. Je lui ai même donné un nom : « Sur
la terre comme au ciel. » Un symbole très simple, et
qui résume tout. Au tableau, des patineuses qui
s'avancent, des avions qui s'écrasent.

Le Vieux, *à M. Roger de plus en plus abattu et perdu.* — Tu vois, Roger, des patineuses! Ça recoupe ce qu'on nous avait dit. Rappelle-toi les trois sœurs! On tient le bon bout!

Arthur, *les dents serrées, de plus en plus vite.* — Je ne me borne pas là, naturellement. Car je vais dans votre sens, du moins dans le sens que vous m'aviez indiqué autrefois. Oui, vous me disiez, autrefois... *(il regarde Annette)* qu'il fallait plusieurs façons de gagner. Eh bien, il n'en faut pas plusieurs, il en faut mille. Dans mon appareil, on pourra à la fois gagner au score, aux points, au bonus, aux numéros éteints, aux numéros allumés, aux trous en ligne droite, aux trous en V, et même au trou du haut, sans parler des couloirs...

Le Vieux, *riant, obscène.* — Ah, les couloirs! C'est qu'ils ne sont pas larges!

Il tripote Annette.

Arthur, *glacé.* — Justement, les couloirs... *(Pause.)* J'en viens à mon idée principale : on a toujours surestimé l'importance des flippers.

Le Vieux, *saisi peu à peu par l'euphorie du paralytique général.* — Tout à fait d'accord! Tu vois, Roger, la même chose que pour les trois sœurs : un seul flipper pour les trois mignonnes!

Arthur. — Précisément, on a toujours cru qu'il fallait s'acharner sur un flipper pour passer dans un couloir et l'allumer. C'est une erreur... Car il y a, dans d'autres couloirs, des flèches lumineuses qui ne s'allument qu'une fois la bille passée... Et... pas toujours. Donc, il faut savoir résister à la tentation des flippers. La bille roule, on la laisse rouler, on ne peut pas savoir...

Le Vieux. — On ne peut pas savoir! Vous en avez de bonnes! Hé, il faut être prêt à tout!

Il tripote une fois de plus Annette, excédée, qui s'agite.

Arthur, *tout aussi excédé qu'Annette.* — Je vois que nous nous entendrons difficilement, et dans ces conditions, il vaut peut-être mieux que je parte. Car mon principe est toujours le même. Les couloirs ne sont qu'un exemple, entre beaucoup d'autres, et si mon jeu ne vous intéresse pas...

LE VIEUX. – Ne vous échauffez pas comme ça, jeune homme. Quoi ? Vous ne voulez pas que je vous réponde ? Mais c'est un dialogue qu'il nous faut. Rien de bon, rien de grand ne sort jamais du monologue.

ARTHUR. – Eh bien l'essentiel, pour moi, est finalement dans les trous... Il y a dans les trous toutes les possibilités imaginables. Il faut considérer les trous, d'un bout à l'autre de la partie, comme une chance de gagner et un danger de perdre. Il faut, à la fois, en avoir très peur et tout espérer d'eux. On les vise, on les rate, c'est peut-être une chance. On les vise, on les atteint, c'est peut-être encore une chance. On ne peut pas savoir. *(Pause.)* Mais la plus grande chance, la seule indiscutable, c'est ce que j'appelle en anglais, puisqu'il faut parler anglais, le « return-ball ». Pourquoi ce nom ? Parce que la bille tombée dans ce trou-là revient au joueur par la voie souterraine ; c'est désormais une bille gagnée, une bille heureuse.

LE VIEUX. – Eh oui, rien de tel que de recommencer !

> *Il rit, renouvelle une tentative auprès d'Annette qui, cette fois, se lève.*

ARTHUR, *agressif*. – Attention ! Il n'y a pas un trou dont on pourra dire *a priori* : « C'est le « return-ball ». Ce sera tantôt l'un, tantôt l'autre... et parfois, il n'y en aura pas, de « return-ball » ; car si l'on sait d'avance où est la possibilité, c'est de nouveau... le plaisir médiocre, le petit travail.

LE VIEUX, *dans un gros rire*. – Ah ! ces sacrées billes, des coquines, hein ! Elles n'ont pas fini d'étonner leur monde. Elles s'enfoncent dans leur trou, on les croit disparues, enterrées, et puis hop ! les voilà qui se remettent en branle... Et ça court, et ça saute, et ça y va ! Car les petites, entre temps, elles ont repris du souffle ! Pas folles !

ARTHUR, *ivre de rage*. – Bien entendu, le « return-ball », à supposer qu'il existe, ne vaudra que pour une bille sur cinq. Il ne s'agit pas, non plus, d'éterniser la partie.

Le Vieux. – Mais si la partie est plus longue, quelle importance? On la fait payer plus cher, et voilà... Et tout le monde sera d'accord. *(Dans un gros rire qui ne le quittera plus.)* Tout le monde sait bien que plus c'est long, plus c'est bon, ou plutôt, meilleur c'est, pardon! Ça coûte dix francs, eh bien, ça en coûtera cinquante! Le tout, c'est que la bonne grosse pièce passe dans la fente. Trop petite, la fente? Qu'à cela ne tienne, on l'agrandira! Cinquante francs, et les trois petites sœurs s'allument! *(Pause; il halète.)* On en a, de ces pièces-là, dans la poche, alors profitons-en, profitons-en...

> *Le Vieux rampe sur son lit pour essayer d'attraper Annette, et apparaît en longue chemise blanche. Annette recule, épouvantée. Les instruments de manucure tombent. Arthur et M. Roger restent figés.*

Le Vieux, *haletant et retombant sur son lit.* – Roger!

> *M. Roger se précipite et reçoit dans ses bras le Vieux expirant.*

DIXIÈME TABLEAU

LE SQUARE

Annette et M. Roger sont assis sur le banc, à droite. M. Roger, très pâle, a posé près de lui une canne. Sa boutonnière ne s'orne plus de la fleur habituelle, mais d'un crêpe de deuil. De plus, il porte, à l'un de ses pieds, un gros pansement et une pantoufle.
Annette est également très pâle.

Annette, *se levant.* – Voyons, cet homme n'a qu'un seul et unique désir : trahir son maître, quel qu'il soit. Et même s'il croit que le Consortium n'a plus la moindre chance de s'en sortir, il sera trop content de jouer les agents doubles... Je ne dis pas qu'il livrerait ses secrets au premier venu. Mais à moi, oui. Je sais lui parler, moi, et surtout je lui fais peur.

MONSIEUR ROGER, *d'une voix égale, très triste, qu'il gardera jusqu'à la fin.* — Je ne crois vraiment pas, Annie, que l'on puisse faire confiance à Sutter.

ANNETTE, *exaspérée.* — Alors, trouvez autre chose...

MONSIEUR ROGER. — Mais quoi ? Je ne vois rien. Et puis... Et puis je suis trop fatigué, Annie.

ANNETTE, *mélancolique.* — Votre jambe, je sais. *(Reprise par son démon.)* Mais j'en ai assez de toujours vous plaindre pour cette jambe. A qui la faute, après tout ? Quel besoin aviez-vous de transporter dans des escaliers obscurs des piles de dossiers... Et ces dossiers-là, par-dessus le marché ! Alors, vous passez vos soirées à ressasser les idées d'autrui ?

MONSIEUR ROGER. — Oui, il m'arrive de relire les projets qui avaient été soumis à Monsieur Constantin.

ANNETTE. — Mais, mon pauvre ami, c'est sinistre, tout simplement ! Et déplacé ! Si encore vous vous étiez jamais intéressé à ce malheureux appareil... Mais non, vous le méprisiez, et pas seulement lui, tous ceux qui l'aimaient, qui s'en occupaient... Sutter y compris. Car Sutter lui-même l'aimait... Quand je pense que si vous êtes entré au Consortium, c'est grâce...

La rage l'étouffe.

MONSIEUR ROGER. — Laissons cela, voulez-vous...

On entend en coulisse le bruit de plusieurs appareils. M. Roger sursaute.

ANNETTE. — Qu'est-ce qu'il y a ? Vous n'avez jamais entendu le bruit des appareils ?

MONSIEUR ROGER. — Ils en ont installé dans les jardins à présent.

ANNETTE. — Et après ? Est-ce une raison pour vous départir de votre calme souverain ? *I don't think so!*

MONSIEUR ROGER, *se levant péniblement et, appuyé sur sa canne, essayant d'écarter Annette.* — Excusez-moi, mais je voudrais m'approcher un peu. C'est tout ce qui me reste.

> *Il s'éloigne à gauche.*

ANNETTE, *criant.* — Ah ! il ne vous suffit pas qu'on en parle... Vous voulez voir de près, admirer le fonctionnement des flippers... Les actionner soi-même, bien sûr, c'est fatigant, mais si les autres le font pour vous... On peut toujours regarder, c'est permis, et même, à l'occasion, *(sanglotant)* surprendre l'arrivée des trois mignonnes dans la trappe du papa !

> *Quand Annette a fini de parler, M. Roger, déjà, est sorti. Victor, depuis quelques secondes, est apparu à droite. Il se tient maintenant derrière Annette qui sanglote. Toujours le bruit des appareils.*

VICTOR, *par-dessus l'épaule d'Annette.* — Bien envoyé, Annette. *(Annette sursaute et se retourne; il rit.)* C'est ce qu'on appelle marquer un point. *Knock out*, le beau jeune homme ! *(Remarquant tout de même qu'Annette pleure.)* Qu'est-ce qui se passe, mon petit ? Si terrible que ça, les trois mignonnes ? *(Pause.)* Eh bien, pour une fois, Arthur n'a pas poétisé.

ANNETTE. — Je vous conseille de me parler d'Arthur ! C'est lui qui vous envoie ?

VICTOR. — Certainement pas. *(Pause.)* Il y a du nouveau, ma chère : Arthur et moi, fini, on ne se voit plus. Je n'ai pas envie de gâcher ma carrière, et les fréquentations de ce genre... D'autant plus que maintenant, qui dit Arthur dit Sutter. Samedi dernier, je les ai eus chez moi, tous les deux, en pleine consultation. Dispute, cris, coups et blessures. Vous voyez la scène ! C'est très simple : une aventure comme celle-là pouvait me coûter ma clientèle. Et naturellement, qui a dû ensuite bander la tête de Monsieur Arthur ? Victor.

ANNETTE, *dans un pauvre rire.* — C'est vrai, il y a des dissensions entre les orphelins du Consortium.

VICTOR. — Écoutez, Annette, si vous voulez que nous soyons bons amis, ne me parlez plus de ce Consortium. C'est d'ailleurs de l'histoire ancienne, car vous

savez, la nationalisation ne va pas traîner et, soit dit
en passant, ça vaudra mieux pour tout le monde. En
tout cas pour vous et moi. *(Pause.)* Nous ne laissions
que trop de plumes dans cette affaire, mon petit. Enfin,
rien n'est perdu, puisque nous avons un métier, tous
les deux. Je suis médecin, vous êtes manucure...

ANNETTE, *riant.* — Faits pour s'entendre, quoi!

VICTOR. — A propos, vous voulez vraiment rester
manucure?

ANNETTE, *riant.* — Vous avez mieux à m'offrir?

VICTOR. — Peut-être. *(Pause.)* Un travail qui serait
tout à fait dans vos cordes. *(Annette rit.)* Ça vous
plairait, d'être mon assistante? *(Annette rit plus fort;
Victor essaye de rire aussi, sans comprendre.)* Seulement,
je vous préviens : chez moi, vous ne vous tournerez
pas les pouces, car j'ai du monde à présent. *(Riant
toujours.)* Et vous savez grâce à quoi? Grâce aux
stands. Oui, c'est exactement le genre d'endroits où
un médecin se fait des relations... Il suffit de bavarder
un peu, de mettre en confiance tous ces braves gens...
*(Il sent vaguement que le rire d'Annette est étrange, se dé-
monte un instant mais reprend.)* Sans compter que, pour
jouer, on est très bien, dans les stands. On choisit son
appareil, on s'installe, on ne demande rien à personne,
et surtout *(riant)*, on n'est pas obligé de tenir le cra-
choir à Madame Duranty.

Annette rit toujours.

ONZIÈME TABLEAU

CHEZ Mᵐᵉ DURANTY

*Une chambre. Au milieu, un peu à gauche, étendu sur deux
chaises, le cadavre d'Annette. De nouveau, les cheveux flottent.
Au fond, une table, quelques autres chaises. Mᵐᵉ Duranty
est debout devant le cadavre d'Annette, la tête entre les mains.
Victor est assis à droite, tête basse.*

MADAME DURANTY. — Devant le stand! Il fallait
que je la trouve... dans cet état, justement devant le

stand... *(Criant.)* Je l'ai toujours dit, qu'il n'y avait rien de bon à en attendre, de ces stands. *(S'approchant du cadavre.)* Denise, ma petite Denise, car pour moi tu es toujours Denise... C'est comme ça que ta maman t'appelait, et Charles aussi! *(Elle se signe.)* Et quand je pense qu'Arthur, dans son coin... Oh, bien sûr, c'est de sa faute, mais il est comme ça, Arthur, il parle, il parle, alors Sutter, brute comme il est... Pauvre Arthur! Tout seul, tout gonflé! Avec son gros bandeau sur la tête! *(Pause.)* Vous devriez tout de même aller le voir, Monsieur Victor, il vous aime bien, vous savez. Il vous demande tous les jours; je ne sais plus quoi inventer, moi. Il n'a pas été gentil avec vous, c'est vrai; mais regardez, avec elle non plus *(montrant Annette)*, il n'a pas été gentil, et pourtant c'est de lui qu'elle parlait, et pas de Monsieur Roger. Tenez, encore hier soir, ici même... *(Elle pleure.)* Pauvre Anneton, il n'était pas heureux, ces derniers temps. Que voulez-vous, à cet âge-là, on ne peut pas vivre tout seul.

Victor, *levant la tête.* — Ne racontez donc pas n'importe quoi. Il est trop évident que vous n'avez pas vu Annette hier, car si vous l'aviez vue, vous sauriez, entre autres choses, que depuis trois semaines *(il se lève et crie)*, elle ne vivait plus seule mais avec moi, chez moi!

Madame Duranty. — Avec vous? Ah non, Monsieur Victor, elle ne m'a pas dit ça! Je m'en serais souvenue, vous pensez bien... *(Avec un rire gâteux.)* Ah, la petite cachotière... Une vraie jeune fille!

Victor. — Mais alors, pourquoi êtes-vous venue me chercher *(se frappant la poitrine)*, moi, justement moi?

Madame Duranty. — Parce que... Parce que vous êtes médecin. *(Victor hausse les épaules et marche.)* Ne vous fâchez pas, Monsieur Victor. Vous savez comme c'est... Quand il y a un malheur, on va chercher le médecin... Et comme vous me soignez toujours si gentiment... *(Plus bas, confidentielle.)* Et puis, il n'y a pas que ça! Cette affaire-là, il faudrait l'éclaircir... Car la police ne fera pas son travail. Je la connais, la police... payée par les Nord-Africains! *(Au cadavre.)* Ne t'inquiète pas, Annie, Madame Duranty te vengera. *(Se tournant vers Victor.)* Alors je me suis dit, Monsieur

Victor, que vous pourriez peut-être savoir quelque chose. *(Brusquement hargneuse.)* Puisque vous y allez, vous, dans les stands...

VICTOR, *s'arrêtant.* — Les stands! Toujours à me reprocher les stands, elle, vous, tout le monde! Et pourquoi n'irais-je pas dans les stands? Pourquoi devrais-je prendre le deuil de ce Consortium? Est-ce que j'étais marié avec ce Consortium? Est-ce qu'on m'a jamais accueilli, là-bas? Est-ce que j'avais le droit à la parole? *(Pause.)* Il n'y a qu'une personne au monde qui me réclame : Arthur. Et encore, pourquoi? Pour que je lui enlève son bandeau. Moi, je n'ai pas de bandeau, je n'ai que ma tête!

MADAME DURANTY. — Voyons, Monsieur Victor, la beauté, pour un homme, ça ne compte pas... Et pour nous, c'est pareil; nous sommes jolies quand nous sommes aimées. *(Riant.)* Ah! si vous m'aviez vue, autrefois! Je n'avais pas mes crampes, j'étais alerte, je sautillais... *(Victor se rassied à droite.)* Aïe! Il ne faudrait pas prononcer ces mots-là! *(Elle s'assied péniblement, en se tenant les reins.)* Monsieur Victor, c'est tout de même drôle, j'ai suivi votre traitement, alors...

> *Entre à gauche Sutter, presque en haillons. Il a du mal à tenir debout, et se sert de ses deux bras comme un funambule d'un balancier. Plus agité que jamais, mais cette fois la machine tourne absolument à vide.*

SUTTER. — Alors, on ne dit pas bonjour à Sutter? Est-ce parce qu'il apparaît à l'heure fatidique du minuit? Quoi? Je passais par là, et voyant vos fenêtres éclairées... *(Pause.)* Ma parole, vous avez des têtes d'enterrement.

MADAME DURANTY. — C'est le cas de le dire, Monsieur Sutter. *(Montrant le cadavre d'Annette, que Sutter n'a même pas vu.)* Regardez ce qui nous arrive.

SUTTER, *s'approchant du cadavre.* — Mais c'est Annette! Morte? *(Pause.)* Un accident, sans doute. Pauvre Annie! C'était fatal, elle traversait les rues sans rien voir, comme une folle. J'avais beau la mettre en garde... Oui, on s'était raccommodés, tous les deux, et on se voyait, de temps en temps, à la sauvette.

VICTOR, *à mi-voix*. — Celle-là, je ne l'avais pas prévue.

SUTTER. — Ah! vous en êtes encore à Sutter renégat! Mais je faisais le double jeu, mon cher. Et Annette aurait pu vous l'apprendre, si elle avait cru bon... de choisir pour confident l'ami de son ancien petit ami.

> *Pendant la réplique de Sutter, Victor, silencieusement, prend son manteau et sort. Personne ne remarque sa sortie.*

MADAME DURANTY. — Mais, Monsieur Sutter, ça avait changé. Ce n'était plus Arthur, c'était Monsieur Victor. (*Elle se retourne comme pour prendre Victor à témoin, et constate qu'il n'est plus là : elle lève les bras.*) Ah!...

SUTTER, *qui ne s'aperçoit toujours de rien*. — Satanée fillette!

> *Sutter titube. Il va à la table, s'assied sur une chaise, les pieds étendus sur une autre.*

Excusez-moi, Madame Duranty, mais je me sens ...un peu fatigué, tout à coup. Effet du surmenage. Très normal. (*Pause.*) Autre chose : à cause de tout ce travail, justement, je n'ai même pas trouvé une minute tout à l'heure, pour... me sustenter... Vous n'auriez pas, par hasard, une bricole... un sandwich, enfin... n'importe quoi?

MADAME DURANTY. — Je... je n'ai pas grand-chose, Monsieur Sutter, mais peut-être, en cherchant bien...

> *Elle va, tout en se tenant les reins, chercher du pain et du fromage qu'elle rapporte à Sutter. Un long silence, Sutter mange avec voracité son sandwich; M*^me^ *Duranty, qui s'est réfugiée peureusement sur une chaise, à droite, s'assoupit peu à peu, la bouche ouverte.*

SUTTER, *à qui le sandwich semble avoir redonné des forces, se tournant vers le cadavre.* — Pauvre gosse! Mais c'est idiot! Les jeux ne sont jamais faits, pour personne. (*Se levant.*) Tant qu'on vit, on va, on vient, et le jeu continue, et tant qu'il continue... (*Il éclate de rire, puis se tournant vers M*^me^ *Duranty qui, maintenant ronfle.*) J'aurais pu me laisser aller, moi aussi... Mais au dernier moment, j'ai compris, et... décidé de changer d'air, pour de bon. Oui, le voyageur qui dormait en moi a appelé, et j'ai répondu :« présent » à l'appel. Import-export aux U. S. A., ça vous dit quelque chose ? Travailler ici ? Du temps perdu, du bruit pour rien ! Des appareils conçus par un cerveau de chez nous ? Pitié pour le joueur ! *(Se mettant à marcher à travers la scène comme un fou, tandis que M*me *Duranty ronfle de plus en plus fort.)* Là-bas, on voit grand, on voit large ! Des idées naissent, qui créent des choses, qui remuent des gens. L'enchère est ouverte ! On mise sur vous ! Quitte ou double ! Vainqueur toujours ! L'élan, tout est dans l'élan ! Quand l'élan est donné, la machine part toute seule. Et elle marche, elle marche...

> *Sutter marche lui-même tant et si bien qu'il fait tomber au passage le cadavre d'Annette. M*me *Duranty ronfle toujours.*

DOUZIÈME TABLEAU

CHEZ VICTOR

Une table de ping-pong, mais qui présente un caractère particulier : elle est curieusement divisée en huit carrés, les uns noirs, les autres blancs. Le filet, lui, est strictement réglementaire.

Arthur et Victor, septuagénaires, les cheveux blancs, raquette à la main, s'apprêtant à jouer.

Victor est vêtu comme un vieux monsieur très correct. Il porte des lunettes. Arthur, qui a ôté sa veste, a une chemise crasseuse et déchirée. Au fond, un tableau, où sont déjà inscrits à la craie les points gagnés respectivement par les deux joueurs : A : 2, V : 3.

VICTOR, *levant sa raquette.* – Play ?
ARTHUR, *levant la sienne.* – Ready !

> *Victor lance la balle, Arthur la rate, la balle roule par terre.*

VICTOR, *riant*. – Raté!

ARTHUR. – Écoute, Victor, nous avions décidé, d'un
commun accord, et après un certain nombre de conversations, de diviser les côtés en carrés. Et maintenant,
tu m'accuses de rater une balle, alors que tu l'as toi-
même ratée, puisque, de toute évidence, tu l'as lancée
dans un mauvais carré.

VICTOR. – Arthur, tu sais comme moi que je l'ai
lancée dans le bon côté.

ARTHUR. – Je te dis que tu l'as lancée dans un mauvais carré, et tu me réponds que tu l'as lancée dans
le bon côté. Donc, ou bien tu confonds volontaire-
ment, sciemment, côtés et carrés, ce qui prouverait,
ou du moins semblerait prouver...

VICTOR. – Eh bien moi, je maintiens qu'une balle
non rattrapée est une balle ratée. Or, c'est toi qui
ne l'as pas rattrapée, donc, c'est toi qui l'as ratée...
Autrement dit, tu parles des carrés et des côtés pour
ne pas avoir à la chercher. Car tu sais très bien que
celui qui la rate la cherche.

ARTHUR. – A condition que la faute ait été commise,
non par celui qui la lance, mais par celui qui la rattrape, ou, du moins, doit la rattraper... *(Victor frappe
du pied.)* Bon, je la cherche. *(Il se baisse et cherche la
balle.)* Elle n'est pas là. *(Se relevant.)* Je ne sais pas où
elle est, mais elle n'est pas là. *(Victor va au tableau.)*
Qu'est-ce que tu fais ?

VICTOR, *se marquant un point*. – Tu vois bien, je me
marque un point.

ARTHUR, *laissant pendre ses mains et tomber sa tête*. –
Alors, tu refuses définitivement la division en carrés
et côtés ? Remarque, il est possible que cette division
ne s'impose pas absolument... Mais si tu estimes non
seulement qu'elle ne s'impose pas, mais encore qu'elle
doit être rejetée, je ne vois pas pourquoi tu as accepté,
ou fait semblant d'accepter...

VICTOR, *brandissant sa raquette*. – Tu ne vas pas recommencer comme dimanche dernier!

ARTHUR. – Dimanche dernier ?

VICTOR. – Parfaitement, dimanche dernier. Nous
n'avons pas joué, dimanche dernier, peut-être ? Et tu
n'as peut-être pas eu ton indigestion, dimanche dernier ?

Arthur. – Oui, j'ai eu une indigestion, mais pas du tout, comme tu le crois, parce que j'avais mangé trop de croquettes. J'ai eu une indigestion parce que, dans la semaine, je mange généralement très peu, et surtout, jamais de croquettes. Seulement toi, tu ne te demandes pas ce que je mange dans la semaine...

Victor. – Non, je ne me le demande pas, car je le sais. Et je sais aussi que tu mangerais beaucoup plus si tu t'étais préoccupé un peu plus...

Arthur. – Oui, je gagne moins que toi à l'École Universelle, mais aussi je travaille moins que toi, à l'École Universelle.

Victor. – Inutile de déplacer le problème. Tu sais très bien que si j'ai parlé de ton indigestion, c'est seulement parce que, juste avant d'avoir cette indigestion, tu m'as fait une scène.

Arthur. – Une scène, moi?

Victor. – Oui, et même une scène assez pénible. Car je trouve pénible, quand on joue chez quelqu'un, de reprocher à ce quelqu'un son petit nombre de balles.

Arthur. – Je ne t'ai pas reproché abstraitement le petit nombre de tes balles. Je t'ai simplement dit, et je te le dis encore, qu'il est presque impossible de jouer avec moins de cinq balles. Et, tout compte fait, je n'avais pas entièrement tort, puisque, toujours, et en particulier maintenant, nous sommes, pour une raison ou pour une autre, en train de chercher une balle.

Victor. – Mon cher Arthur, je sais combien me coûte une balle, et je sais aussi combien me rapporte un malade : pas lourd.

Arthur, *qui, depuis un moment, cherchait la balle pour ne pas écouter Victor, se relevant.* – C'est insupportable, à la longue, ces balles qui ne veulent pas rester sur la table, et qui s'en vont dans tous les sens.

Victor. – Elles s'en vont dans *un* sens, qui est le sens où on les lance. Or, comme c'est moi qui l'ai lancée, elle est forcément de ton côté.

Arthur. – Je ne vois pas pourquoi elle serait forcément de mon côté. Elle peut, tout aussi bien, avoir, par la suite, roulé de ton côté. Et c'est pourquoi tu devrais, de ton côté, prospecter ton côté. *(Ceci dit, il*

se met à quatre pattes, et poursuit sa recherche, Victor l'imite.)
En tout cas, c'est clair, je ne vois rien.

VICTOR, *à quatre pattes.* — Tu verrais peut-être quelque chose, et notamment la balle, si tu portais des lunettes, comme tout le monde.

ARTHUR, *toujours à quatre pattes.* — Mais toi, tu as des lunettes, et...

VICTOR, *qui vient de trouver la balle, se relevant, triomphant.* — Oui, j'ai des lunettes, et j'ai aussi la balle. *Play?*

ARTHUR, *courant à sa place.* — *Ready!*

> *Victor lance la balle, Arthur la relance. Victor la rate, Arthur rit.*

Raté! Quatre partout. Marque!

VICTOR. — Ne dis donc pas n'importe quoi! Nous étions à quatre-deux, nous en sommes donc à quatre-trois. Dans le meilleur des cas.

ARTHUR. — Non, dans le meilleur des cas, j'aurais cinq, et toi quatre, puisque, tout à l'heure...

> *Victor hausse les épaules mais n'en marque pas moins le point d'Arthur.*

VICTOR, *qui, cette fois, a trouvé la balle sans difficulté.* — *Play?*

ARTHUR. — Une seconde! On peut bien, de temps en temps, prendre une seconde pour réfléchir, pour discuter. C'est la moindre des choses, il me semble, puisque nous sommes seuls, tranquilles, et que cela dépend de nous...

VICTOR, *impatienté.* — *Play?*

> *Sans attendre la réponse, il lance rageusement la balle, que, bien entendu, Arthur ne rattrape pas.*

ARTHUR, *jetant sa raquette en l'air.* — Ah non! Ça, c'est un coup à la Sutter!

> *Il s'assied sur la table et croise les bras en signe de protestation.*

VICTOR, *posant brutalement sa raquette et s'asseyant à son tour sur la table.* — Tant pis pour toi. Tu n'avais qu'à être prêt. Et puis, il faudrait savoir, une fois pour toutes, à quoi nous jouons. Moi, je joue au ping-pong.

ARTHUR, *se levant.* — Ah, les carrés te gênent? Tu veux... revenir au tennis, dis-le.

VICTOR, *se levant.* — Je t'ai déjà expliqué cent fois qu'au tennis il y a des côtés et pas de carrés. Or, moi, je veux supprimer non seulement les carrés, mais aussi les côtés. Quand comprendras-tu que c'est l'anglais qui te perd! *(Avec rage.)* Table-tennis, Table-tennis!

ARTHUR. — Je ne comprends qu'une chose, c'est que tu veux jouer, purement et simplement, sans carrés ni côtés... *(Criant presque.)* Eh bien, qu'à cela ne tienne, essayons.

VICTOR. — Non, nous n'allons pas essayer avant que tu aies reconnu...

ARTHUR, *saisissant sa raquette.* — Je reconnais, je reconnais. *Play?*

VICTOR, *qui s'est précipité sur la sienne.* — *Ready!* *(Arthur lance la balle, Victor la rattrape, mais l'envoie dans le filet. Victor frappe du pied.)* Celui-là!

ARTHUR. — Tu vois, tu l'as quand même ratée.

VICTOR. — Je regrette, je ne l'ai pas ratée, c'est le filet qui l'a arrêtée.

ARTHUR, *exaspéré.* — Ah! Le filet aussi te gêne? Mais rien, rien ne nous oblige à jouer avec un filet. Avant le tennis, on jouait bien sans filet! Alors, tu veux qu'on enlève le filet?

VICTOR. — Je n'ai jamais dit qu'il fallait enlever le filet. C'est toi qui as parlé d'enlever le filet. *(Provocant.)* Maintenant, si tu veux qu'on enlève le filet...

ARTHUR, *dans un demi-rire.* — Oui, je veux qu'on enlève le filet. *(Il enlève le filet, aidé par Victor.)* *Play?*

VICTOR. — *Ready!*

Ils échangent deux ou trois balles.

VICTOR, *à qui sa raquette glisse des mains.* — Arthur!

ARTHUR. — Qu'est-ce qui se passe?

VICTOR, *rattrapant la balle avec sa main.* — Elle... elle m'a glissé des mains.

ARTHUR. — Ta raquette?

VICTOR. — Bien entendu, ma raquette! Que veux-tu qui m'ait glissé des mains?

ARTHUR, *éclatant d'un rire « homérique ».* – Ah! Très bien! Tu veux jouer sans raquette, maintenant? Tu te dis que ce n'est pas parce qu'on a une balle qu'on doit nécessairement avoir une raquette. Possible! Mais alors, vas-y, lance-la! Oui, avec ta main, qu'est-ce que ça peut faire?

Il jette sa raquette en l'air.

VICTOR, *gagné par le rire d'Arthur.* – Chiche!

> *Victor lance la balle avec la main, Arthur la rattrape et la relance. Quelques échanges de plus en plus fous. La balle rebondit tantôt sur la table, tantôt sur le sol. Les deux vieillards, pour la rattraper, font des bonds immenses et mous. Arthur rit toujours, Victor aussi, mais surtout il s'essouffle. Ses gestes se font plus lents et plus flasques que ceux d'Arthur.*

VICTOR, *haletant, mais jouant toujours.* – Eh bien, tu sais, la vérité...

> *Arthur a lancé la balle particulièrement haut, Victor saute, mais (le cœur?) tombe lourdement.*

ARTHUR, *saisi de panique.* – Victor! Victor!

Rideau.

TABLE

ACHEVÉ D'IMPRIMER
LE 5 JANVIER 1961
PAR L'IMPRIMERIE
NAUDEAU, REDON ET Cie,
A POITIERS (VIENNE).

Procédé photo-offset

D. L., 4-1955. — Éditeur, n° 7.888. — Imprimeur, n° 498.
Imprimé en France.

Le Sen[...]

Ce second to[...]
Adamov comprend deux par[...]
importance : d'une part, *le Sens de la
Marche* et *les Retrouvailles*, qui relèvent
encore de ce qu'on peut appeler la première manière d'Adamov, où les motifs
apparemment les plus simples de la vie
quotidienne apparaissent comme les signes
d'un univers voué à la terreur ; d'autre
part, *le Ping-Pong*, qui annonce un véritable renouvellement de sa dramaturgie.

Dans *le Ping-Pong*, en effet, si toute
l'action tourne autour d'un appareil à
sous, cet appareil ne se transforme pas
en agent de la Fatalité, et Arthur, Victor,
Annette, Sutter, etc., n'en deviennent
pas pour autant schématiques ; ils témoi-
gnent tous, chacun à un stade différent,
de la réalité sociale.

Ainsi le théâtre d'Arthur Adamov
acquiert-il une nouvelle vigueur, passant
de *la Parodie* à ce qui pourrait bien être
la comédie de notre temps.

7 F + t.l.